AS RAPARIGAS ESTÃO BEM

ILARIA BERNARDINI

AS RAPARIGAS ESTÃO BEM

Editado pela HarperCollins Ibérica, S.A.
Avenida de Burgos, 8B
28036 Madrid

As raparigas estão bem
Título original: The Girls Are Good
© Ilaria Bernardini 2022
© 2024, para esta edição da HarperCollins Ibérica, S.A.
Publicado originalmente pela HarperCollins Publishers Limited, UK.
© Tradutor: Fátima Tomás da Silva

Desenho da capa: Pedro Viejo Diseño
Imagem da capa: Dreamstime.com

1.ª edição: Maio 2024
ISBN: 978-84-1064-021-4
Impresso em Espanha por: BLACK PRINT

Distribuidor exclusivo em Portugal: Vasp - Distribuidora de Publicações, S.A.
Media Logistics Park, Quinta do Grajal - Venda Seca
2739-511 Agualva Cacém - Portugal

Até que ponto pode a música
anular a dor?
Ela abre a lista de reprodução.

DIANE DI PRIMA

SEGUNDA-FEIRA

Dentro de sete dias haverá uma ginasta morta e, no entanto, ao abrir os olhos, parece-me que continua tudo igual. Ainda que, claro, a minha vida seja um *loop* e tudo me pareça sempre igual. O meu primeiro alarme acorda-me às seis e cinco; o segundo, às seis e dez. Gosto do primeiro porque existe o segundo, esses cinco minutos são apenas meus. Não penso em nada, não sou nada. São os cinco minutos mais longos do meu dia. Às seis e dez, acordo por completo, estalo o pescoço, estico os braços, as mãos, cada um dos dedos. Levanto-me e sinto a alcatifa por baixo dos pés. Faz-me cócegas, como de costume. Não é uma dessas alcatifas suaves, como a que têm em casa de Anna. A nossa é barata e bege, a cor mais barata que existe, se excetuarmos o cinzento escolar. O meu pai diz que não faz mal sermos pobres, porque nos amamos e, desde que contemos com o nosso amor mútuo, o resto não importa. Certifico-me sempre de lhe dizer que sim com a cabeça, pois, caso contrário, a minha mãe e ele ficariam ainda mais tristes e eu, além de pobre, sentir-me-ia mesquinha.

Lavo o cabelo vermelhíssimo, vejo as minhas muitíssimas sardas no espelho, visto-me e fecho o saco de viagem. Dou a volta à cadeira duas vezes, puxo o fecho do fato de treino do meu equipamento e volto a olhar para as minhas muitíssimas sardas. Abro a porta, bato duas vezes na maçaneta e desço para a sala. Que também é a sala de jantar, a sala de estar, a cozinha e o quarto dos meus pais. Como os cereais, bebo o sumo.

— Teremos saudades tuas — diz a minha mãe, depois de me dar um beijo. — Não te esqueças do passaporte.

— Vemo-nos dentro de uma semana — diz o meu pai, do sofá-cama. — Parte uma perna, ratinha!

Sim, é verdade que nos amamos. Embora a minha mãe tenha o olhar triste e o meu pai pareça mais deprimido do que nunca. Não sentirei a falta deles. Nunca sinto a falta deles, nunca o fiz e nunca o farei. Mas quero ganhar por eles ou, pelo menos, classificar-me para a final individual neste torneio para que, talvez — graças a mim e ao meu caminho para as Olimpíadas —, algum dia possam ter o seu próprio quarto. Ou, pelo menos, uma cozinha. Assim, poderia deixar de me sentir culpada por fingir, às vezes, que não os conheço quando vêm ver-me a competir.

Agora, tenho quinze anos, mas tinha apenas quatro quando comecei a praticar ginástica. Nessa altura, ninguém sabia se teria jeito ou se acabaria por ser alta ou baixa. Também não fazia ideia de que, a partir dos dez anos, me veria obrigada a treinar às sete da manhã, antes de ir para a escola. E depois outra vez das três até às sete da tarde, nem que teria de fazer os trabalhos de casa durante o jantar, dormir e voltar a levantar-me na manhã seguinte, seis dias por semana, para treinar de novo às sete e assim sucessivamente. Não sabia que os domingos ficariam destinados para sempre às competições, nem que os meus dias seriam tão repetitivos. Não sabia que acabaria por gostar que as coisas se repitam. Pelo menos, a maioria delas. Embora as sessões de treino e os exercícios nunca se repitam realmente, dado que, mesmo nessa repetição, há sempre mudanças. E na vida de uma ginasta há sempre mudanças. Como hoje, por exemplo, que viajamos para a Roménia para competir. Isso é novo.

E a novidade assusta-me e, ao mesmo tempo, entusiasma-me.

Abro a porta de casa e vejo que, pela estrada, chega o *minibus* da nossa equipa. Atravesso o jardim, sinto o frio gélido nas faces e o vento faz com que os olhos chorem. O céu está mais nublado do que o normal. Tal como o meu cabelo, que hoje me parece mais vermelho do que o normal. Um vermelho-fogo. Ou talvez um vermelho-morango. Embrulho-me com o cachecol, depois, faço-o mais duas vezes, antes de continuar com a minha vida e todos os movimentos que esta exige. Andar, certamente. Estar com outras pessoas. Respirar, sorrir.

Rezar para não morrer.

Dentro do autocarro, reina o silêncio. Nenhuma das minhas colegas de equipa olha para mim. Anna e Benedetta estão a dormir, Nadia e Carla nem se incomodam. Rachele, a nossa treinadora, sorri para mim, embora se esforce sempre demasiado. Quando sorri. Quando fala. Quando faz alguma coisa. Cumprimento-a discretamente com a mão e depois faço um gesto com a cabeça a Alex, o fisioterapeuta. Até daqui sinto o cheiro da última bebida que bebeu. E, como todos os dias durante os últimos cinco anos, sinto o cheiro dos seus cigarros e depois o cheiro dos seus cigarros na minha pele. O cheiro do seu corpo na minha pele. E essa foi outra das coisas que aprendi quando tinha dez anos.

— Dormiste bem esta noite? — pergunta-me.

— Sim — respondo.

Imagino-o com a sua mulher, a dormir bem apesar dos horrores de que é capaz. Talvez ela também deteste o seu cheiro. Talvez também tente livrar-se dele com água, álcool ou arranhando a pele com as unhas. Será verdade que Alex só nos tocará enquanto parecermos crianças, como diz a Carla? Ou isso também será mentira? Talvez isso signifique que, quando fizer dezasseis anos, no máximo dezassete, deixará de o fazer e essa será a única vantagem de me tornar mais velha.

Essa e, também, poder comer mais.

O único lugar vazio é junto de Nadia e Carla, portanto, sento-me lá e as três dizemos «olá». Há uma hora de caminho até ao aeroporto, depois uma viagem de três horas de Itália para a Roménia, e já começo a sentir claustrofobia. Bato na janela duas vezes, puxo o fecho para cima e para baixo, conto até cem. As outras estão a ouvir música nos seus telemóveis, mas eu ainda uso um iPod velho que herdei da cabeleireira para quem a minha mãe faz limpezas. Tenho de o ligar e desligar algumas vezes antes que funcione. Nadia e Carla observam o meu artefacto antediluviano e ambas fecham os olhos, exatamente ao mesmo tempo. É como se as visse em câmara lenta, uma coreografia que ensaiaram. Também há o som do movimento que as suas pestanas compridíssimas fazem e esse som também tem eco.

Tudo o que Nadia e Carla fazem, até respirar, parecem fazê-lo sempre juntas. Talvez até os seus batimentos cardíacos estejam sincronizados. Talvez os seus nomes, ambos de cinco letras, façam parte de uma unidade superior. Carla usa mais maquilhagem e saias; Nadia veste sempre calças de fato de treino. Uma delas é loira e a outra de cabelo escuro. Mas é provável que tais diferenças se tenham decidido na fase de planeamento para que fizessem um par melhor.

Quando as conheci, tinham oito anos. Antes disso, só as tinha visto no campo de treino, mas nunca se davam com mais ninguém. Iam visitar o clube de Rachele, onde eu treinava. Carla já era um prodígio. Além de ser famosa por ter protagonizado um anúncio de televisão em que dizia a um rapaz da sua idade «Olha o que sei fazer!» e, então, precipitava-se a fazer três rondadas e um duplo salto mortal à retaguarda. Rececionava, sorria, e sentava-se à mesa para devorar uma barrinha de cereais que, supostamente, lhe dava a energia necessária para fazer essas acrobacias. O miúdo afastava-se, abatido, mas Carla corria atrás dele para lhe dar também uma barrinha e, então, ambos ficavam contentes.

Sei que deve ter cuspido essa barrinha de cereais assim que gritaram «Corta!».

Lembro-me de pensar que queria ser como ela e de me questionar como seria possível que pudesse sorrir à frente da câmara com tanta naturalidade depois de fazer um duplo salto mortal à retaguarda com pirueta. Então, percebi que eu estava sempre a tentar sorrir para os juízes e para os treinadores. Também para a minha mãe e para o meu pai.

Todas dávamos uma boa impressão de fora. Ainda damos. Embora algumas de nós tenham mais jeito para fingir.

Seleciono a lista de reprodução dos meus exercícios de solo e ponho-a baixa, porque não suporto que a música me magoe os ouvidos. Sigo as notas e visualizo um movimento para cada uma delas — o salto de carpa frontal e roda sem mãos —, depois imagino a melodia sem a letra. Visualizo-me com grande elegância a fazer um duplo salto mortal à retaguarda e para a frente, um *flic-flac* dobrando as costas para formar um «V» invertido, antes de fazer o salto com espargata no ar. Se a minha mente me ajudar, se o meu corpo me ajudar, esta semana, acrescentarei um triplo salto, que faço bastante bem há já uns meses. Imagino-me a derramar uma única lágrima de satisfação depois de o fazer e a sorrir para os juízes.

Depois, para o mundo.

Enrosco-me no banco, de costas para a Carla, e durmo. Consigo dormir em qualquer lado; a minha mãe ensinou-me. Mesmo quando era pequena, conseguia adormecer sem problemas por baixo de uma mesa enquanto ela limpava escritórios ou enquanto limpava o cabeleireiro ou no autocarro noturno quando regressávamos de algum dos seus trabalhos mais afastados. Adormeço imediatamente e muito profundamente. Não sonho com nada. Não sou nada.

Quando acordo, estamos no aeroporto e Nadia e Carla estão a rir-se do rabo de Rachele, que dizem que parece cada vez maior, mais gordo e mais flácido.

— Vê-se a celulite daqui — diz Carla.

— Vê-se através do fato de treino — confirma Nadia.

— Veem-se os pratos de massa com molho que comeu. Também se vê na cara, tem a pele tão brilhante como o queijo. Cheira-te a *mozzarella*?

Nadia ri-se. Ri-se sempre quando Carla está a ser má. Ou quando Carla está a ser qualquer coisa, na verdade. Ri-se e adora-a.

Sigo-as, fazendo com que pareça que não estou a segui-las; odeiam-me quando me aproximo demasiado e eu odeio-me a mim mesma quando me aproximo demasiado. De modo que ando junto delas, mas um passo e meio atrás. Carla faz oscilar as suas ancas e a sua mala de marca, que tem umas letras enormes estampadas. Agora, está a falar de, na semana passada na escola, ter seduzido o seu professor durante um exame de História. Perguntou-lhe se era realmente importante saber que doenças existiam na Idade Média. «Não devíamos preocupar-nos com outras coisas?», perguntou, supostamente. Então, diz a Nadia que pestanejou de um modo muito explícito.

Há anos que oiço a Carla e a Nadia. Ouvi-as a analisar o

crescimento — ou o não crescimento — das suas mamas, das minhas mamas e a examinar com atenção cada rapaz, cada rapariga. Ouvi-as a confessar as suas obsessões, histórias e segredos familiares, um a um. Também já há anos que vejo a Nadia a olhar embevecida para a Carla no duche, a admirar o seu salto mortal à retaguarda no ginásio. A elogiá-la. A amá-la.

Sei que a ama. Todas sabemos.

Também sei que, em casa de Carla, rezam muito. Leem a Bíblia durante o jantar e na cama, antes de ir dormir, e depois leem-na um pouco mais durante o café do pequeno-almoço. Se almoçarem juntos ao meio-dia, pois, claro, então acompanharão a comida com mais Bíblia. O facto de lerem a Bíblia juntos durante o café do pequeno-almoço ou quando comem frango ao meio-dia é o motivo por que os pais de Carla decidiram que ia parar de fazer anúncios. Não importava que fosse famosa antes de Deus entrar nas suas vidas. Era algo que era permitido. No entanto, agora, já não é a forma apropriada de agradecer ao Senhor pelo talento prezado e o dom que concedeu a Carla.

— És o anjo ginasta de Deus — dizem-lhe.

E, embora Carla goze com eles, questiono-me se parte dessa afirmação terá ficado interiorizada nela. Sim, parece acreditar que é um anjo. Essa fé, juntamente com a sua capacidade de voar, deve ajudá-la a não cair da mesa de saltos. Nem dos banzos das paralelas. Nem nunca.

A mãe de Nadia é muito diferente de todas as outras mães. Teve-a com a nossa idade e, certamente, não queria tê-la. Agora, só tem vinte e nove anos e não se importaria que Nadia levasse um rapaz para casa para dormir com ela. Nadia não está interessada em levar um rapaz para dormir, mas conta-nos isso para que saibamos como é a sua mãe, que Nadia e ela falam de coisas divertidas, como o amor, os amantes e o sexo, e como acabar com os namorados sem os magoar ou magoar-se a si mesma. Conta-nos tudo isto para que vejamos que falam. Que ela existe.

— Não cometam os meus erros, raparigas — disse-nos a sua mãe, numa das poucas vezes que passámos tempo com ela. — Nada de gravidezes antes dos vinte. Ou até dos trinta. Ter filhos é uma ideia terrível.

Eu olhei para Nadia e questionei-me o que sentiria ao ouvir o seu nome com frequência num aviso sobre erros e más ideias.

No aeroporto, somos as passageiras mais baixas dos que estão na fila para embarcar no voo *low cost,* e Anna e Benedetta são as mais baixas das mais baixas, aqui e talvez no universo inteiro. Esse é apenas parte do motivo por que quase nunca reparamos nelas. O outro motivo é que têm tanto medo de tudo que escolheram o silêncio como forma de fingir que não estão aqui. Ou que não estão vivas. Ou em perigo. Carla deu a alcunha «Inúteis» a Anna e a Benedetta. Antes, só as víamos quando treinávamos para entrar na equipa nacional porque elas vinham de clubes distantes e Carla recordava-nos sempre que os seus clubes eram de pessoas pobres. Para as ginastas das pessoas pobres. Mas, então, Rachele convidou-as para se inscreverem no nosso clube, portanto, estão aqui. Estão aqui inutilmente. Carla também repete que tanto as Inúteis como a equipa de rapazes do nosso clube são uma vergonha. Os rapazes nunca chegam sequer aos campeonatos e ela diz que deviam ser empregados de mesa, carpinteiros ou desaparecer, desintegrar-se. Talvez até morrer.

Rachele defende sempre os rapazes e as Inúteis.

— São os teus valiosos colegas de equipa — diz a Carla. — Sabes muito bem que, quando eles ganham, tu também ganhas.

Mas, por muito que Rachele nos recorde, Carla nunca o deixa

passar. E temos de reconhecer que nunca ganham, as coisas são como são.

— Não abusemos, treinadora — disse Carla a Rachele, da última vez. — A Benedetta, apesar da sua anorexia espetacular, é como um elefante na trave olímpica. A Anna tem medo da mesa de saltos e, quando faz exercícios de solo, olha para os pés. São patéticas! Porque permite que compitam connosco?

Na fila para embarcar no avião, tal como em qualquer outro lugar do mundo exterior, as pessoas ficam a olhar para nós. Suponho que tenhamos um ar estranho, somos raparigas pequenas com pernas musculadas e o cabelo muito arranjado, todas vestidas com uma *sweatshirt* idêntica. No ginásio, gosto dos nossos corpos, valorizo-os, mas aqui sinto-me disforme. Gostaria de ter escrito na testa: SOMOS GINASTAS. Neste desporto, é uma grande vantagem ter o corpo pequeno como o nosso e umas pernas musculadíssimas! Não queremos seios! Não queremos ter o período! Não faz mal se tivermos osteoporose com treze anos, não faz mal que não sejamos altas! O importante é ganhar e que este corpo seja forte e não que seja bonito quando estamos na fila!

Mas essas palavras todas não me caberiam na testa.

Rachele diz sempre que graças a Deus que temos esta compleição, graças a Deus que somos baixas e que não temos mamas, e graças a Deus que quase nenhuma tem o período e que devemos agradecer a Deus pelos nossos corpos, tão pequenos e ao mesmo tempo tão fortes. Caso contrário, não poderíamos brilhar neste desporto, nem ser campeãs, nem fazer da ginástica a representação orgulhosa do poder e da força da nação. Por isso, aquela que engorda está acabada. Ou aquela que cresce está acabada. Ou aquela cujas as mamas crescem está acabada, a não ser que consiga suportar que as embrulhem com ligaduras. O nosso corpo é o nosso bem mais apreciado. Também é por isso que vivemos e viajamos com um fisioterapeuta. E é por isso que temos sessões diárias com ele. Teoricamente, as sessões servem para proteger o nosso bem mais apreciado.

Na prática, é lá dentro que tudo se quebra por completo.

— As raparigas estão bem — dirá Rachele a qualquer pessoa que pergunte se queremos comer um pouco mais, ou treinar um pouco menos, ou se estamos satisfeitas com esta vida em que nos chamam despropósitos, elefantes ou perdedoras, enquanto trabalhamos, suamos e suportamos a dor nos nossos exercícios.

— Estamos bem — confirmamos. E dizemos que sim com a cabeça. E sorrimos.

No nosso país, há quase quatro mil ginastas ao nível da competição. Apenas uma dúzia é tão forte como nós. Física e mentalmente tão fortes como a Carla? Acho que não há ninguém. Talvez seja por isso que é capaz de nunca falar de Alex. Talvez seja por isso que é tão combativa. A nossa disciplina consiste em exercícios de solo com acompanhamento musical, a trave olímpica, saltos na mesa de saltos e as paralelas assimétricas. Fazemos todos os exercícios individualmente, mas pontuam-nos como indivíduos e como equipa. É um desporto olímpico e aspiramos à equipa nacional e às Olimpíadas. Por essa razão, Carla e Nadia mudaram-se para o norte com as suas famílias e começaram a treinar no meu ginásio. É por isso que Anna e Benedetta também se esforçam para encaixar. Rachele é conhecida por ser a melhor. Sim, também é a mais dura, e agora sabemos que também é uma mentirosa e esconde coisas, mas, nas suas mãos, podemos ter a possibilidade de chegar às Olimpíadas. Proporcionou mais medalhas de ouro do que qualquer outro treinador do país. Embora nunca saibamos quantas dessas ginastas queriam morrer.

— Sê a melhor versão de ti mesma — diz sempre. — Pergunta-te se desejas ser prisioneira do passado ou pioneira do futuro.

Pergunto-me se viu essa frase estampada em alguma *t-shirt*. Ou num *meme* da Internet. Pergunto-me se, quando menciona o passado, pensará no passado horrível que sabe que partilhamos. No presente horrível que sabe que partilhamos. E se isso mudará o tipo de pioneiras em que poderíamos acabar por nos transformar no nosso futuro. Pergunto-me se achará que, como pioneiras, voltaremos em busca de vingança. Ou se saberá que, então, estaremos totalmente destruídas.

Passamos anos em que não fazemos outra coisa senão melhorar, saltar mais alto, tornarmo-nos mais precisas, mais elegantes. Mas, à medida que nos aproximamos dos dezoito anos, segundo nos contam, não paramos de piorar, de engordar. Esse momento será desagradável, a não ser porque significará que poderemos livrar-nos de Alex, dos seus dedos no nosso interior e do seu cheiro impregnado na nossa pele. Nem sequer falta muito para que chegue. Mais ou menos três anos até chegar o nosso declive. É um pouco como se soubéssemos quando vamos morrer, o que é estranho, tendo em conta que mal começámos a viver realmente. Poderia ser útil, sim, porque temos de tomar decisões, saber como queremos passar os últimos dias das nossas vidas, o que queremos deixar como legado, porque desejamos que se lembrem de nós. E temos de ter em conta que, embora pensemos que podemos decidir por que seremos recordadas, afinal de contas, tanto na ginástica como na vida, na verdade, não somos nós a decidir.

Podíamos cair antes de tempo. Podíamos morrer antes de tempo.

As raparigas altas, por exemplo, mesmo as que são brilhantes e chegam ao nível da competição, mais cedo ou mais tarde, acabam por desaparecer e, para a maioria delas, isso representa uma tragédia. O que tinham esses centímetros a mais a ver com elas? Não pediram para ser mais altas, nunca desejaram ter essa altura extra. No entanto, os ossos das suas pernas tornaram-se mais compridos e os ombros alargaram, coisa que parecia mais apta para a natação ou para o halterofilismo. As suas costas tinham o dobro do tamanho das nossas e, de trás, essas costas pareciam dizer-nos adeus.

Pelo menos, isso era o que me diziam a mim, mas não podia contar a ninguém porque teria sido estranho ter de explicar essa história de umas costas que dizem adeus.

E depois temos sempre a Khorkina, a russa que, apesar de às vezes insultar o resto das ginastas por serem umas fracas ou umas queixosas ou por acompanhar as suas frases com ameaças de castigos divinos, dá esperança a todas as ginastas altas. Mede um metro e sessenta e cinco centímetros e é o claro exemplo de que, depois de passar anos dentro de ligaduras e morta de fome, tudo é possível. Até ser alta e campeã suprema. Até que te chamem «O flamingo de Belgorod». Até que te deem sovas e agradeças. Se quiseres ser alguma coisa, claro está, como ela diz. Se quiseres ser uma pioneira.

Nas suas últimas Olimpíadas, usava um maiô preto feito de cristais Swarovski. Chamava-lhe o seu maiô de casamento.

Mas aparece uma Khorkina a cada dez ou vinte anos e, nestes dez ou vinte anos, ela foi a escolhida, com exercícios criados especialmente para ela, modificados para ela, de modo que até uma volta sobre si mesma, com o seu metro e sessenta e cinco de estatura, possa ser um movimento elegante. Agora, esses movimentos fazem parte do seu repertório e terão o seu nome para todo o sempre. E, quando o nosso nome se repete ao longo dos séculos em ginásios de todo o mundo, em algum momento, chegamos a ouvi-lo e a senti-lo, sem dúvida. Sentirás que alguém diz «Khorkina» na China ou num pequeno ginásio em Espanha ou talvez no Japão. Num voo para o Canadá, alguém irá a murmurar: «Agora, vou tentar fazer a combinação *Markelov-Khorkina*», e isso deve ser maravilhoso.

Rachele está a rever as regras da viagem: telemóveis desligados no ginásio, boas maneiras durante a viagem e no hotel. Responsabilidade e respeito pelo nosso próprio corpo porque cada um dos nossos corpos é o corpo de todas as outras. Devemos cuidar das nossas colegas de equipa e também do país anfitrião. Devemos ser educadas. Sorrir. Agradecer.

Ser boas raparigas.

Vendo-nos de fora, não pensariam que as colegas de equipa também competem umas contra as outras. Individualmente, cada uma de nós tem o potencial de ganhar o seu próprio evento, de derrotar uma colega de equipa que se transformou numa inimiga. Nadia contra Anna na trave olímpica, por exemplo, ou Benedetta e eu a tentar superar-nos uma à outra constantemente na mesa de saltos. Mas não há forma de competir com a Carla e ninguém sequer pensaria em tentar comparar-se com ela. E Nadia, que é a segunda melhor, parece satisfeita como está. Em geral, parece satisfeita com a Carla conseguir o que quer.

— Não se atrevam a praticar nenhuma rotina romântica — diz Rachele, tentando fazer-se de engraçada.

Não nos parece engraçada. Parece-nos repugnante. Carla goza com ela e imita com as mãos a forma da sua franja, tão rígida que bem poderia ser feita de gesso. Uma vez, depois do treino, vi Rachele a aplicar muitíssima laca no cabelo. Também estava a pintar os olhos com *Kohl* e a boca com um lápis de lábios castanho para criar o contorno e depois preenchê-lo com essa massa densa. Estava a esforçar-se para parecer bonita, mas choravam-lhe os olhos. Talvez fosse o lápis de olhos preto ou talvez soubesse que, mesmo que pintasse os lábios, continuaria a sentir-se sozinha. E, de um modo ou de outro, está ao corrente de demasiadas coisas que nos aconteceram, e também a ela própria, para alguma vez voltar a sentir-se feliz ou bonita. É culpada. Não há uma quantidade suficiente de lápis de olhos preto e de batom cor de laranja para conseguir tapar isso.

— Ela sim, vai praticar — sussurra Carla a Nadia, com o volume suficiente alto para se certificar de que todas a ouvimos. — Fará coisas estranhas com um homem estranho que conhecerá em algum bar estranho da Roménia.

Carla começa a inventar as suas próprias regras.

— Regra número mil trezentos e seis: respeitar os pobres romenos que são pobres — diz. — Regra número cem mil e sete: não toques nas mamas das outras raparigas. Regra número dois milhões e trezentos: não toques na pila dos ginastas masculinos ou nos seus narizes!

Todas nos rimos. Ou pelo menos fazemos esse barulho que parece uma gargalhada.

Rachele nunca se zanga demasiado com a Carla. É a nossa campeã e por isso leva sempre a sua avante. Leva a sua avante em muitas coisas que para nós, que somos boas, mas não campeãs, são proibidas. Falar aos gritos. Magoar as outras. Mentir. Também não nos zangamos com a Carla. No máximo, reviramos os olhos quando não nos vê. Ou apertamos o queixo e rangemos os dentes.

Sem ela, não seríamos nada.

Um aguaceiro bate nas janelas enormes do aeroporto, perdido no meio de uma tempestade. Todas voltamos a pôr os auscultadores — eu escolho uma banda sonora para a tempestade — e esperamos que o tempo passe e que os relâmpagos cessem. Nadia tem medo de viajar de avião e está a ficar pálida. Tem medo de tantas coisas que perdemos a conta: cair das paralelas assimétricas, estar na escuridão, entrar num elevador, ficar fechada em qualquer tipo de divisão, incluindo as casas de banho públicas. Dos barulhos altos e até dos muito leves, como quando alguém sussurra.

— Assustam-me — diz —, como se trouxessem azar.

Carla diz sempre que Nadia é meio pobre, mas não «uma morta de fome como a Martina». E Nadia anda sempre a recordar-nos que, se alguém conhecer alguém que precise de uma ama, ela está livre aos sábados à noite. A sua casa é muito pequena — é mais como um quarto — e o seu pai esteve ausente desde o começo. A sua mãe muito jovem toma conta de gente muito velha, mas só o faz durante parte do tempo. Está a tentar tirar um curso para poder ganhar mais dinheiro.

— Tenho de emendar o meu erro — diz.

Por outro lado, Carla é, segundo as suas próprias palavras, «meio rica», o que significa muito rica. A sua família tem um carro, uma mota, dois empregos, três bicicletas e quartos suficientes para cada um deles. Além disso, comem carne pelo menos três vezes por semana. Ou é o que nos diz. Vão de férias para Sharm-el-Sheikh ou para Djerba a cada dois anos e, no verão, vão à costa. Se Carla quiser, pode comprar saias e *t-shirts* novas e não tem de usar a roupa herdada da sua prima, como acontece comigo. Carla tem um irmão adotado, Ali, e chama-lhe «o meu meio-irmão meio negro». Como se quisesse provar alguma coisa, dado que os seus pais são tão religiosos, diz que não acredita nada, nada, nada, em Deus, mas sabemos que reza antes de ir dormir. E, sempre que viajamos, leva a Bíblia consigo. Também sabemos que adora Ali porque, quando ele vai às competições, ela abraça-o cem vezes dizendo «Amo-te, meu meio-irmão meio negro».

— Durante uma tempestade, a fuselagem pode canalizar a corrente de ar de modo a bater contra o avião, geralmente, sem que aconteça nada de mal — explica Nadia.

— Disseste mesmo «fuselagem»? Eu nunca na minha vida diria a palavra «fuselagem» — garante Carla. — E também disseste «canalizar». Estás a assustar-me, portanto, cala-te, está bem?

Quando nos deixam entrar no avião, somos as únicas a bordo que estão sentadas confortavelmente. Os bancos estão tão colados uns aos outros que as pessoas com uma altura normal têm os joelhos quase na boca. Eu estou sentada junto de um homem que cheira a algo como fruta podre ou algo podre e está a ler o jornal. Fica parado na página com a previsão meteorológica durante toda a descolagem e depois gasta pelo menos vinte e sete minutos na página dedicada ao futebol.

É possível que, ao prognosticar a sua vida através das temperaturas diárias, também esteja a tentar ser o pioneiro do seu futuro.

Na minha casa, ninguém lê o jornal. A minha mãe gosta das revistas de mexericos que encontra espalhadas pelo cabeleireiro, mas, como só trabalha lá se alguém estiver doente, raramente consegue ficar com alguma. Às vezes, folheamo-las juntas e rimo-nos ou comentamos as histórias de amor ou os exclusivos sobre pessoas de que nunca ouvimos falar. Casam-se. Têm filhos. Põem os cornos. Engordam. Emagrecem. Gritam e choram. Morrem. Às vezes, o meu pai lê coisas sobre cavalos, os vencedores e os perdedores, e revistas de corridas aborrecidíssimas com artigos sobre coisas como qual é o melhor feno para dar de comer ao teu cavalo, e a resposta é sempre feno de boa qualidade. Também lê revistas de passatempos do bar do seu amigo Nino, ainda que, regra geral, metade dos passatempos já tenham sido resolvidos por outro. Eu não seria capaz de explicar porque a nossa situação económica é tão má ou porque temos de utilizar coisas que outra pessoa já usou antes, quer sejam *t-shirts* ou revistas de passatempos. Deve haver uma razão, mas não sei qual é. Uma vez, perguntei e a resposta que me deram foi outra pergunta: «Queres alguma coisa que não tenhas?». Eu poderia ter respondido com uma lista. Poderia ter respondido com alguns desenhos. Mas disse «não», porque isso também me parecia verdade.

Não queria nada que não tivesse.

Desligo o meu iPod em segunda mão e fico a olhar para as nuvens de fora. Nas asas, vejo um pó brilhante, embora talvez seja coisa dos meus olhos. O céu é de um azul intenso e daqui parece um lugar seguro. Cairmos não me parece possível e a tempestade está muito abaixo de nós. Se pudesse, pôr-me-ia de pé sobre uma asa e faria uma reverência ao universo, tal como faço aos juízes, e começaria a executar uma sucessão interminável de *Yurchenkos*. Adoraria fazer uma receção ao solo em alguma floresta, ilha ou rio inexplorado, com um sorriso perfeito e os pés bem cravados no chão.

— Sou a Martina — diria. — Sou boa, veem?

No banco de trás, Carla vai a ler em voz alta um questionário de uma revista.

— És ciumenta? — pergunta a Nadia. — Estás num bar e um rapaz bonito está a olhar para ti, embora esteja com outra rapariga. O que fazes?: a) Olhas para baixo; b) Devolves-lhe o olhar; c) Aproximas-te da sua namorada e dizes-lhe que o rapaz a engana.

Nadia nem sequer tem tempo para responder antes de Carla começar a pôr o questionário em dúvida.

— Como raios vais saber com quem está o rapaz? — pergunta. — Nos filmes, é sempre a estúpida da sua irmã, posta ali de propósito para te fazer pensar que é a sua namorada. Certamente, eu faria isto com a língua.

Não vejo o que Carla está a fazer com a língua, mas imagino. Repetição. Ciclo.

Nadia ri-se e diz «Que nojo», e também «Tira a língua da janela ou vais apanhar hepatite, ébola, malária».

— Parvoíces! — responde Carla, depois acrescenta: — A questão é que, falando de línguas, beijei o meu vizinho do lado. O drogado. Queria bater-lhe uma punheta, mas aborreci-me a meio.

25

Quando ouço a palavra «punheta», quase engulo a pastilha elástica.

Carla espreita por trás do banco e grita: «Estavas a ouvir-nos bem, Martina? Estás a espiar-nos, chiba?». Nadia também espreita, sorri e não diz nada. «A Martina está a excitar-se!», exclama Carla e eu fico vermelha e tenho medo de que ficar vermelha faça com que pareça que estou realmente excitada.

Coisa que talvez também esteja.

Enquanto isso, o homem que cheira a fruta podre e está sentado ao meu lado continua a ler o jornal com atenção, agora, assuntos de economia, coisa que deve parecer-lhe muito interessante, pelo menos, tão interessante como a temperatura em Tóquio. Decorrida mais ou menos outra hora, começamos a descer. Volto a pôr os auscultadores e a primeira coisa que vejo neste novo mundo é a neve a cair. Vejo como tinge o universo de branco, como transforma a terra num mapa mais simples, composto apenas de pontos pretos que temos de unir do um ao noventa e nove para ver o que aparece no fim. Talvez um prémio? E talvez o meu prémio possa ser nunca mais ter de ouvir ou falar com ninguém. Poderia deixar de falar e tudo seria mais simples. Transformar-me-ia na rapariga que nunca fala e, nesse papel novo e fácil, talvez até alcançasse um pouco de fama.

— Como começou tudo? — perguntar-me-ão nas entrevistas.

— Com o silêncio — responderei.

A primeira coisa que ouço depois de o comandante anunciar que aterrámos em Sibiu, na Roménia, e que a temperatura no exterior é de menos três graus, é Nadia a rir-se, aliviada. Carla começa outra vez com as suas teorias perversas alimentadas pelos seus pais, pela televisão e por todas essas pessoas de merda. Segundo ela, a Roménia é um país asquerosamente pobre e horrendo, mesmo da janela, mesmo do aeroporto. Se existe um lugar onde poderíamos morrer num avião, esse lugar é a Roménia. Na Roménia, comem cães, comem-se uns aos outros, comem batatas cruas pretas e bafientas a pensar que são requintadas. A ginasta Angelika tem de morrer e poderíamos encher-lhe a boca de ramos minúsculos para que se engasgasse para sempre.

— No YouTube, vi que está a ficar gorda — comenta. — É uma ginasta de merda, feia e desesperada. Gostaria de lhe cuspir nos olhos até que ficasse cega.

Às vezes, Nadia diz que, quando Carla diz essas coisas, ela vê-as realmente, como se acontecessem na vida real. Olha para a Carla para lhe demonstrar que está a visualizar as suas palavras. Sorri, como se ser capaz de visualizar os fantasmas das palavras dos outros fosse uma espécie de dom. Mas não me parece um dom e também não acho que Nadia goste realmente de ver as coisas de que Carla está a falar, porque são tão cruéis e asquerosas que nos dão vontade de vomitar e de chorar. Eu também acabei de ver a imagem de Angelika com cuspo a sair-lhe das órbitas oculares vazias, com a boca cheia de ramos minúsculos. Eu também acabei de a ver morta.

E agora já não sei como tirar essa imagem da cabeça.

Quando saímos do avião, passamos pelo controlo de passaportes. Pegamos na nossa bagagem e a primeira coisa que respiramos neste novo mundo branco é uma baforada de gelo. No tempo que demoramos a abrigar-nos com os nossos gorros e cachecóis, já estamos no *minibus*. À espera para partilhar o trajeto connosco há um grupo de selecionadores da equipa nacional que devem ter chegado noutro voo ou talvez tenham vindo até aqui a pé e tenham saído há meses. Todas dizemos «olá». Alex e Rachele tornam-se formais, falsos e amáveis, e todas sentimos repulsa, tal como quando vemos os nossos pais a tentar fazer-se de engraçados e adoráveis. Tal como quando, em casa, os nossos pais gritam e nos batem e nos odeiam, mas quando alguém chega, se tornam simpáticos e carinhosos, e isso dói ainda mais do que quando nos batem na cabeça e no estômago.

Pelo menos, isso é direto. Pelo menos, sabes o que fazer com essa dor.

Puxo o fecho do casaco do equipamento para cima e para baixo várias vezes, tentando encontrar alguma ordem e sentido a este dia, a esta nova paisagem. Carla tira do bolso um pacote de ursinhos de gomas e partilha-os com Nadia, que põe um punhado na boca. Verificam se não há ninguém a olhar para elas, então, mastigam e engolem. Talvez Nadia esteja a ceder a um capricho por sobreviver ao voo. Ou por sobreviver às palavras de Carla. Eu conto até cem para parar de desejar esses ursinhos de goma e, em vez disso, tento prestar atenção enquanto Rachele vai enumerando a lista de atletas com quem devemos ter cuidado, assim como as nossas tarefas quando chegarmos ao hotel e o horário das nossas sessões de treino e das nossas competições.

— Bom, que rico hotel. É mais um complexo de férias dos tempos da guerra — comenta Carla, que já o procurou no Google.

— É o típico programa de uma semana — prossegue Rachele —, com treino amanhã e provas classificatórias das equipas no dia seguinte.

Será então que as piores equipas se irão embora. As provas classificatórias individuais serão na quinta-feira e, depois disso, a final por equipas. A final do evento será no sábado e, para quem passar essa fase, no domingo, haverá a final geral individual, também chamada *All Around*, em que as ginastas classificadas competirão entre elas em todos os aparelhos. Só as melhores chegarão até à final geral. Todas queremos chegar lá, é claro, mas sobretudo devemos desejar que Carla esteja presente nesse pódio.

Um corpo, um coração.

A última coisa que Rachele diz enquanto subimos pelas estradas da montanha, mesmo antes de chegarmos ao hotel do tempo da guerra, é: «Carla, senta-te como é devido, veem-se as cuecas», perante o que Carla cora durante um segundo e, nesse instante, imagino Alex a imaginar essas cuecas. E as nossas.

Mas Carla escolheu ser o Popeye.

— Que se vejam as minhas cuecas não é uma coisa má — responde. — Têm os dias da semana bordados. Anna, queres verificar se tenho as de segunda-feira? Como já estavas a olhar, talvez possas tirar proveito da tua visão maravilhosa.

Anna não estava a olhar, de modo que continua a não olhar.

No hotel, situado nos limites da floresta Cozia, os quartos já foram atribuídos e eu tenho de partilhar um triplo com a Carla e a Nadia. Anna e Benedetta pensarão que é um tratamento imerecido, como se dormir no mesmo quarto do que a campeã constituísse algum tipo de privilégio. Mas sinto náuseas só de pensar que terei de passar seis dias compridíssimos com elas.

Estou habituada a estar sozinha e gosto de estar sozinha. Nem nunca pedi sequer aos meus pais para ter um irmão ou uma irmã, embora também não pudéssemos alimentar mais uma boca. Sempre pensei que é melhor ser filha única. Quase até desfruto dos nossos jantares a três, a mãe, o pai e eu, quando não temos nada para dizer e só há silêncio, que tenho a certeza de que pareceria algo triste visto de fora. Mas diria que é um tipo de silêncio confortável, em que é fácil encaixar. No entanto, se estamos calados quando estamos em público, a fazer um piquenique no parque, por exemplo, ou na fila para alguma coisa e alguém olha para nós, começamos a falar imediatamente, porque nos envergonharia que alguém pensasse que somos uma família infeliz. E sorrimos. E suponho que, em certo sentido, também façamos uma reverência.

Nos nossos quartos, desfazemos a mala e escolhemos a cama. Bom, eu não escolho. Atribuem-me a minha quando Nadia e Carla juntam as suas para formar uma cama de casal.

— Oxalá a tua mãe estivesse aqui para limpar este quarto de merda — diz-me Carla, embora o quarto não esteja nem sujo nem desarrumado.

— A tua mãe é adorável — diz Nadia, rindo-se. — Como um ursinho de peluche muito suave. Adorável.

— É, sim — digo-lhe.

Ou talvez não diga, porque, na verdade, não ouço o som da minha própria voz. Deito-me de barriga para cima para entender como me sinto neste quarto do nosso novo universo branco, da nossa nova vida de curta duração. Há muitas camas em todos os hotéis, motéis e pensões do mundo. Quero experimentá-las todas e, se me concentrar o suficiente, mesmo estando aqui, perto desta floresta, consigo ver a chuva em vez da neve através desta janela, uma paisagem tropical em vez desta terra branca. Imagino-me deitada numa cama de Banguecoque, a ver Banguecoque da janela. Faço o mesmo com o Rio de Janeiro. Paris. Escalo o Kilimanjaro. De lá, também faço uma reverência.

— Não bebam água da torneira — avisa-nos Carla. — Podem apanhar muitíssimas doenças mortais.

Não bebemos a água da torneira; tomamos banho, vemos televisão e vestimos roupa limpa. Nadia examina as nódoas negras e, com uma caneta, desenha um círculo à volta de duas que tem nas coxas, resultado do treino da semana passada. Rachele esteve a pressioná-la muito e Nadia diz que se sente agradecida por isso. Ficamos a olhar para as suas nódoas negras. Depois, fico a olhar para as minhas, comparando-as, tentando também sentir-me agradecida pelas nódoas negras.

— São nódoas negras recordes — diz Nadia. — Parecem-me bonitas.

Examinamos as nódoas negras um pouco mais e, na verdade, não são nada que não tenhamos visto antes. Quanto mais olhamos para elas, pior aspeto têm. Então, há algo tácito que circula entre nós, de modo que mudamos de assunto, e cada uma come um ursinho de goma. O meu sabe a melancia. Ou talvez a pêssego.

Carla recorda-nos que, para não engordarmos, devíamos comer carboidratos apenas e exclusivamente antes do meio-dia. Além disso, diz-nos que, como agora temos quinze anos, esta é a idade ideal para começar a ter relações sexuais em condições. Conta-nos que descobriu que, para conseguir fazer com que os mamilos se marquem por baixo do maiô, a única coisa que temos de fazer é colar um pedaço de fita-cola e depois arrancá-lo como se fosse cera depilatória.

Fá-lo e mostra-nos os seus mamilos. Com efeito, estão vermelhos e erguidos. Também nos garante que, antes de acabar a semana, Rachele enrolar-se-á com pelo menos dois treinadores rivais de diferentes partes do mundo que, na manhã seguinte, sairão às escondidas do seu quarto, envergonhados. E talvez Alex também tenha sexo com ela.

— Vómito — diz Nadia.

— Certamente — concorda Carla.

Aumentamos o volume da televisão, suponho que para tentar tirar a imagem de Alex da cabeça. Distraio-me graças à música romena que toca a todo o volume e desligo até ouvir Nadia a perguntar a Carla se viu o acidente de ginástica no YouTube, esse em que a rapariga cai de cabeça e, então, já não se mexe.

— Nos comentários, dizem que morreu um mês depois — lê. — Mas também dizem que se reformou.

— E então? — pergunta Carla.

— Tenho vontade de chorar — diz Nadia. Mas, na verdade, não chora.

— É a Romina Laudescu — diz Carla. — Está viva e está a melhorar. Deixou de competir e tu devias deixar de ver essas coisas. Concentra-te em ti mesma.

— E o que importa? Se não vou chegar às Olimpíadas.

— Não digas parvoíces. Claro que chegarás.

A verdade é que ambas chegarão às Olimpíadas, mas eu não.

— Vamos apostar — sugere Carla. — Se um dos dez primeiros lugares da final geral individual for para ti, Nadia, quero ver-te nua no meio do ginásio.

— O quê? — Nadia ri-se. — Está bem!

— Prometes?

— Prometo.

Nessa noite, enquanto estamos na fila do bufete do hotel, lembro-me da regra de Carla sobre os carboidratos. O meio-dia já está longe, de modo que peço frango grelhado, feijão branco e uma garrafinha de água. No fim da fila, Rachele examina a minha bandeja.

— Devolve esses feijões, Marti — ordena-me. — Se não, a barriga inchará.

Faço o que me diz, como uma rapariga boa. Devolvo os feijões e penso em fazer uma reverência, mas abstenho-me.

Quando me sento, Angelika aparece. Desde a última vez que a vimos nas Europeias, tornou-se mais espampanante. Angelika Ladeci, de quinze anos, com o cabelo loiro lustroso, minúscula e com um corpo perfeito, junta-se à sua equipa no outro extremo desta divisão de luzes de néon. O rabo enorme que Carla disse que tinha visto no YouTube é uma mentira absoluta. Ocupa metade do nosso espaço, e nós já ocupamos metade do espaço de uma pessoa normal. É deslumbrante, obviamente, trata-se de uma campeã, vencedora de múltiplos prémios, sempre tão leve. Quando caminha, é como se tocasse uma música só para ela. Os seus olhos são de um azul perfeito e o seu nariz é tão pequeno como o de um bebé.

— Parece-te bonita, não é? — Ouço que Carla pergunta a Nadia. — Bom, imagina-a a ter de comer comida de cães porque é uma cadela entre os cães. De facto, é mais nojenta do que o mais nojento dos cães. Depois, imagina-a a dormir no chão porque nem sequer tem cama, nem sequer uma manta, nem sequer um colchão. Tem de fazer os maiôs com toalhas ou cortinas.

Pensar nessas coisas faz com que Angelika me pareça ainda mais especial, como a Cinderela ou a Branca de Neve. Até penso em *A pequena vendedora de fósforos* e no sem-fim de histórias em que umas meninas muito bonitas, mas sobretudo muito desgraçadas, conseguem causar uma mudança drástica no seu destino trágico. Viro-me e vejo que Nadia tem os olhos estranhos, como quando começa a ver coisas. Provavelmente, está a imaginar Angelika de gatas a comer de uma tigela. Talvez a imagine coberta de pelo, com um focinho húmido e pestilento.

Pelo menos, é o que eu estou a fazer.

Mais tarde, nessa mesma noite, com o corpo dorido por causa da falta de exercício, deito-me na cama tão saturada das palavras dos outros que me sinto como se me tivessem envenenado. Carla ainda tem coisas para dizer e Nadia ri-se alegremente, ouvindo uma explicação detalhada sobre como fazer aos rapazes o tipo de massagem de que gostam.

— Farias isso ao Karl? — pergunta-lhe Carla.

— Se me ensinares — responde Nadia. — E se quiseres que o faça.

Eu tapo a cabeça com a almofada, mas oiço o som das suas vozes e, com elas, a imagem do pequeno Karl, o atleta polaco que se transformou no *sex symbol* da ginástica juvenil de competição. Não

33

estou de humor para imaginar Karl a receber massagens, portanto, peço-lhes se podem baixar o tom de voz e Carla responde-me: «És muito aborrecida, Martina!», mas então passa para o sussurro e, com a almofada por cima da cabeça, já quase não ouço nada, portanto, finalmente, sinto que me deixo levar pelo sono.

A meio da noite, levanto-me e vou à casa de banho em bicos de pés para fazer xixi.

Abro a porta, bato no trinco duas vezes com os dedos, depois bato outras duas vezes para a fechar atrás de mim. Quando regresso ao quarto, olho para Carla e para Nadia, que dormem abraçadas uma à outra. Na mesa-de-cabeceira de Carla, vejo a Bíblia e os seus analgésicos.

Ao ver as raparigas a respirar sossegadamente, vem-me à cabeça outra imagem de Alex, os seus nós dos dedos sem sangue, a segurar-me o tornozelo com uma mão enquanto, com a outra, me toca por dentro. O seu hálito. O meu hálito. Oxalá também pudesse encontrar consolo nos braços de Carla e Nadia. E devia experimentar a Bíblia de Carla? Talvez os analgésicos. Volto para a minha cama e escolho o método habitual. Começo a contar até cem e depois outra vez até cem. Chego até um milhão.

— Ajudem-me — murmuro. Mas ninguém me ouve.

TERÇA-FEIRA

— Que puta!

Abro os olhos e vejo a Carla a espreitar pela janela, depois ouço a água e imagino a Nadia sob o jorro do duche, ainda a examinar as suas nódoas negras. Tomo o analgésico habitual, espreguiço-me e sinto a rigidez e a dor dos músculos. Hoje, doem-me mais porque ontem não treinei.

— Estou cheia de fome — digo, e Carla vira-se, assustada.

— Ah, olá — diz-me. — Tinha-me esquecido de que também estavas aqui. A puta da Angelika estava a treinar mesmo por baixo da nossa janela. Quem raios pensa que é? Parece-te que faz de propósito?

Magoa-me que se tenha esquecido de que estava aqui, tão invisível e irrelevante para ela. Ao mesmo tempo, percebo que não estou em casa, portanto, não posso comer uma dose dupla ao pequeno-almoço e, em vez disso, terei de suportar a Rachele a fiscalizar o que escolho, a pesar-me os cereais com o olhar.

Toco duas vezes no nariz, conto até cem enquanto pestanejo em repetições de dez, faço uma pausa e volto a fazer outras cinco repetições de dez.

— Controla-te — diz-me Carla. — Para de fazer essa merda.

— Deixa-a em paz — repreende-a Nadia. — Pelo menos aqui, que a Rachele não está a olhar.

Rachele é minha treinadora há oito anos e, há seis, mete-se comigo. Como quando insiste em fazer-me repetir cada exercício vinte vezes, embora lhe diga que tenho os braços tão cansados que não consigo mantê-los direitos, e ela diz que sou uma preguiçosa. E quando os braços se dobram e acabo por bater com o queixo ou com o ombro contra o colchão, sussurra, frustrada, como se eu fosse uma inútil. Uma vez, bati com o nariz com tanta força que fiz sangue.

Há uns anos, tínhamos uma colega de equipa, Caterina, cuja mãe sabia mais sobre o que acontecia no ginásio do que qualquer outra das nossas mães. Certo, Caterina sofria mais fraturas do que o resto de nós, mas então penso nas quedas que sofri, nessa sensação constante de estar prestes a partir-me ao meio e suponho que alguém também pudesse ter-me salvado a mim. Todas nós sofremos fraturas por *stress*, mas nunca ninguém veio tirar-nos daqui.

Além disso, eu não me teria ido embora. E a Carla ou a Nadia também não.

— Lindas meninas — diz sempre Rachele, quando não nos queixamos e, em vez de chorar, nos esforçamos tanto que fazemos cortes nas palmas das mãos, lesionamos e magoamos os nossos corpos até ficarmos reduzidas a camadas de dor. E sorrimos. E dizemos que sim com a cabeça. E fazemos reverências.

Espero que Nadia saia e depois visto-me na casa de banho. Não quero que a Carla ou ela me vejam nua. Especialmente, a Carla. Consigo suportar despir-me no balneário, onde passo despercebida entre as outras, mas, no quarto, seria demasiado visível.

A Carla tem sempre alguma coisa para dizer sobre o corpo dos outros e fixa-nos o olhar sem um pingo de vergonha e repara em coisas asquerosas como os pelos púbicos, a celulite ou as veias inchadas. Uma vez, até a vi a cheirar as axilas de Anna e de Benedetta, bem de perto.

— Cadelas — sussurrou.

E Nadia começou a imitar um cão, de gatas, a ladrar.

Quando saio da casa de banho, Carla e Nadia estão sentadas na cama, totalmente vestidas, com os seus respetivos coques bem apertados, quase idênticos, a atar as sapatilhas. Estão perfeitas, prontas para uma fotografia, tão bonitas que ou as amamos ou as odiamos imediatamente. Carla com o seu cabelo loiro, os lábios carnudos e brilhantes, as faces rosadas e os olhos de um azul deslumbrante. E Nadia, com as mãos delicadas apesar dos calos, os dedos compridos e finos, o pescoço esbelto.

O seu cabelo, tão encaracolado e tão escuro.

— Lembras-te dessa vez que disseste que querias ver lobos? — pergunta-lhe Carla. — Estávamos em tua casa e vimos esse filme sobre a menina pequena que vivia com eles.

— Protegiam-na e matavam por ela. Eu adorava esses lobos.

— Bom, olha lá para fora.

Pressionamos os nossos narizes contra a janela do quarto. Vejo o chão coberto de neve e Angelika a correr em círculos perto da cerca baixa que separa o hotel do tempo da guerra de um vazio situado mais à frente. Parece muito relaxada, como se não se preocupasse com nada no mundo. Mas, claro, talvez seja por causa da distância.

Ou talvez seja porque ela também é uma boa rapariga.

Penso que seria muito divertido sair, sacudir as árvores e ficar ali por baixo enquanto a neve cai e deitar a língua de fora para a saborear. O frio nas costas far-nos-ia rir e esqueceríamos tudo — a nossa dor, a nossa vida —, pelo menos durante uns segundos. Mas não há nenhum lobo à vista e, de qualquer forma, também não nos permitiriam sair para brincar.

— Onde está o lobo? — pergunta Nadia.

— Escondeu-se na floresta — responde Carla. — Não o viste?

— Não — diz Nadia. — Estava mesmo ali?

Eu bato na janela duas vezes e elas olham para mim.

— Desculpem — digo-lhes.

Oxalá pudesse parar de fazer coisas em sequências. E oxalá não cometesse tantos erros nas paralelas assimétricas. Ou na vida. Devo tê-lo herdado da minha mãe. Às vezes, quando fala, comete erros estúpidos com as palavras. Ou com a roupa que veste. Antes, era bonita, mas agora mal lava o cabelo. Regra geral, fá-lo aos domingos, mas, chegando a terça-feira, tem de o apanhar porque já ficou gorduroso. Já há anos que não a vejo nua, mas lembro-me de que antes ficava fantástica com o fato-de-banho. E perfeita em cuecas e sutiã. E porque é que o meu pai não sai todas as manhãs para procurar trabalho? Diz que quer estar connosco, mas eu vou para as aulas, depois para a ginástica, e a minha mãe passa o dia a trabalhar fora. A única coisa que faz é fumar, ir ao bar de Nino, fazer palavras cruzadas meio resolvidas e ler esses artigos sobre cavalos. Quem sabe porque se apaixonaram e como conseguiram ter-me. Se dependesse exclusivamente deles, certamente, não teriam tido energia suficiente para completar os meus pés ou o meu ADN.

Afasto-me da janela e tenho de tocar no cabelo duas vezes e dar dois passos com o pé esquerdo e outros dois com o direito antes de conseguir sentar-me na cama.

— Essa idiota sai para correr quando estão zero graus na rua — comenta Carla. — Fica a dar voltas e voltas na neve. Antes, vi-a a entrar na floresta vestida apenas com um maiô e as calças de fato de treino. Que convencida de merda!

— Fá-lo todas as manhãs e todas as noites, desde sempre — garante Nadia. — Li-o na Internet. O seu primeiro treinador ensinou-lho. O nojento do Florin, que morreu com um ataque de coração quando algumas das raparigas o acusaram de ser um abusador.

O Florin dela, o nosso Alex. O homem dela. O nosso homem.

— Talvez seja comida por lobos — comenta Carla. — Ou talvez fique com diarreia por causa do frio. A meio de um exercício de solo, uma caganeira das grandes!

Carla começa a imitar a Angelika a ter um ataque de diarreia durante um salto mortal. Finge ser a Angelika a cumprimentar o júri, em cima da trave, sentada num canto, com dores de barriga. Angelika, com diarreia e cólicas, tem os olhos vesgos e a boca aberta. «Ai, ai — lamenta-se. —Dói-me, dói-me!» Então, leva a mão ao rabo para disfarçar que se cagou.

— Um pouco como tu, Martina, quando a Rachele te deu laxantes — recorda-me Carla.

— Prometeste que nunca mais repetias isso — digo-lhe. — Prometeste!

Ambas sorriem.

— Era brincadeira! — exclama Carla. — Amamos-te muito, Marti.

Tento pensar nisso como uma brincadeira, satisfeita por a Carla sorrir para mim. Para o fazer, cravo as unhas nas palmas das mãos. Depois, nas coxas. Quando saímos do quarto, digo-me: «Alegra-te. Amam-te. Amam-te muito. Tu também podes amá-las muito».

Quando a porta se fecha de repente atrás das nossas costas, vemos a Anna e a Benedetta a sair do seu quarto. Estão alegres e arranjadas. Invejo a sua paz. Invejo o seu quarto, sem uma Carla lá dentro.

— Bom dia, Inúteis — diz-lhes Carla.

— Amamos-vos, raparigas — adiciona Nadia. — Amamos-vos muitíssimo.

— Nós também vos amamos — respondem elas.

Quando chega o elevador, vemos que, lá dentro, há um muro de ginastas chinesas. Somos tão pequenas que cabemos todas, mas encontrar a equipa da China é sempre algo que assusta muito. Assustam-nos porque são fortes e porque nos fazem pensar que não somos livres, mesmo que finjamos sê-lo. Portanto, reviramos os olhos e fazemos uma careta. Não queremos olhar para elas nos olhos, pois pensamos que os seus olhos são de vassalas leais que comprazem fielmente o seu próprio inimigo. Tal como os nossos, mas de forma mais evidente. Carla diz que as ginastas chinesas são como cães espancados ou cães pobres espancados ou cães atrasados espancados. O que não menciona — mas todas sabemos — é que pertencemos todas ao mesmo grupo. Carla usa a palavra *cão* no mínimo cem vezes por dia. E, se a usar noventa e oito vezes, Nadia acrescentará as duas restantes para chegar a cem. Ou fará a imitação clássica, ladrando de gatas.

Uma vez, vimos um documentário no YouTube sobre ginastas chinesas e acabámos a chorar. Havia crianças de cinco anos penduradas pelos braços e os seus corpos minúsculos eram massacrados pelos treinadores, que lhes ligavam os pés e lhes destroçavam as mãos para deixar claro quem era o chefe e até que ponto as suas vidas não importavam. Vimos o documentário sentindo-nos sujas e cúmplices, como quando vemos porno, mas isto era muito pior porque nós também estávamos nesse filme. Também era como ver gravações de imagens reais de professoras de creche que esbofeteiam bebés de dez meses de idade e pensar que nós somos esses bebés e sentir essas mesmas bofetadas.

Nós também odiávamos fazer espargatas, tomar banhos de gelo

para os músculos, e esses treinadores e fisioterapeutas que iam demasiado longe e tentavam esticar-nos os braços puxando-os uma e outra vez. Odiávamo-los por nos chamarem porcas e perdedoras. Ou cães. Odiávamo-los quando tentávamos sorrir de igual modo. Ser boas de igual modo. E é por isso que as chinesas nos assustam mais do que qualquer outra equipa. Olhar para elas é como olhar para aquilo contra o qual nós também não podemos rebelar-nos. É como olhar-nos ao espelho da sinceridade.

Quando chegamos ao andar de baixo e se abrem as portas do elevador, exalamos aliviadas.

— Malditos robôs — murmura Carla, entredentes.

— Animais fracotes — acrescenta Nadia.

Levantamos o queixo para o céu, adotamos os andares decididos da equipa segura de si mesma que sabemos que somos, vencedoras às sete em ponto desta manhã de terça-feira na Roménia, e entramos na cafetaria do hotel. As luzes de néon do teto piscam em sincronia com os nossos passos. Para este momento, seria bom ter uma banda sonora de ritmo rápido. Somos uma equipa — um corpo, um coração — e, embora às vezes nos esqueçamos, temos a capacidade de nos transformar nessa equipa imediatamente. Embora não nos tenhamos escolhido umas às outras e talvez nem sequer gostemos umas das outras, protegemo-nos e cuidamo-nos mutuamente. Somos as guardiãs das nossas lembranças e segredos coletivos. Da nossa infância e do nosso presente. Sabemos se alguma vez conseguiremos fazer um *Yurchenko* 2.5 na mesa de saltos ou uma receção dupla sobre a trave olímpica e quanto conseguimos suportar antes de desatar a chorar. Sabemos o que nos zanga ou o que nos aterroriza. Se temos o período. Se durante um exercício sentimos um ataque de pânico ou o que denominamos um *twisties* — um bloqueio mental que nos faz perder a consciência espacial durante

41

um exercício —, coisa que, no fim, acabará por nos destruir. Sabemos que, quando uma de nós consegue um ponto, toda a equipa ganha um ponto. E que Carla é a parte mais forte do nosso corpo. Ela sabe, nós sabemos, e é por isso que é mais valiosa do que qualquer uma de nós e cuidamos melhor dela do que das outras. A nós dói-nos quando ela sente dor, sobe-nos a temperatura quando ela se sente febril, e o seu joelho esquerdo debilitado assusta-nos tanto como a assusta a ela. Quando Alex toca em Carla por baixo do maiô, toca em todas por baixo do maiô. Percebemos quando lhe acontece e tenho a certeza de que ela também o percebe quando me acontece a mim. A Nadia. Por essa razão, também percebo que as Inúteis, por alguma razão, se livraram da atenção de Alex. Também sabemos que Carla decidiu nunca contar nada a respeito disso — «Não mudaria nada», dizia —, mas sabe as palavras exatas que Nadia e eu usámos quando contámos a Rachele o que Alex estava a fazer-nos. E, com efeito, não mudou nada.

A cafetaria do hotel tem algo gélido; a temperatura abaixo de zero do exterior faz com que tudo pareça branco e azul; um azul elétrico e um branco brilhante. A luz que entra pelas janelas acalma os nossos corações.

— Até a Transilvânia fica melhor coberta de neve — comenta Carla.

Segundo pude ver, a Transilvânia é linda. A floresta, o vazio, a possibilidade de haver lobos ou ursos a viver lá fora. Poderia ficar aqui para sempre, nunca mais voltar a viver com os meus pais. Poderia ser uma guerreira nesta outra nova vida romena de força e liberdade. Poderia ser uma vencedora.

Servimo-nos de sumo de laranja, bebemos o café, mordiscamos uma bolacha insípida que parece de cartão. É melhor que saiba a merda, assim é menos apetecível.

— As toalhas aqui são asperíssimas, que raios? — diz Carla às Inúteis. — Perceberam?

Elas assentem. Todas assentimos.

— Quase me arrancaram a pele às tiras — adiciona Nadia.

— Devíamos recomendá-las à rapariga polaca do acne amarelo — diz Carla. — Se esfregar a cara com elas, tirará o pus.

De repente, percebo que tenho muita fome, tanta que parece a fome do mundo inteiro. Sinto vontade de o dizer em voz alta: «A fome do mundo inteiro, essa sou eu!». Mas, com os anos, já pronunciei demasiadas frases absurdas. Como daquela vez em que disse: «Quando estou nas paralelas assimétricas sinto-me como se estivesse entre duas galáxias». Todas ficaram caladas e, ao princípio, pensei que era inteligente e especial, que tinha acabado a minha etapa sem amigas. Poderia abrir-me para o mundo e todos me admirariam. E adorariam as minhas ideias adoráveis sobre a vida. Mas todas se riram às gargalhadas e morri de vergonha por dentro. De qualquer forma, que tipo de ideia estúpida era essa das duas galáxias? E o que significava realmente estar entre uma galáxia e outra?

Fico em silêncio enquanto Carla faz comentários sobre o rabo da treinadora portuguesa, sobre as mamas da atleta alemã e sobre o eczema da campeã francesa. Depois, concentra-se na anoréxica sem cabelo com o fétido hálito francês que cheira a fétido alho francês.

— Mas os franceses são ricos — acrescenta. — No que me diz respeito, podem ser pestilentos. Nos salões enormes com frescos dos seus palácios, não se sente o cheiro do seu hálito.

Todas assentimos e dizemos que só conhecemos Versalhes graças à televisão, no máximo. Nunca nenhuma de nós esteve em França nem viu um palácio com frescos. E também nunca comemos comida francesa e isso do alho foi algo que ouvimos — incluindo a Carla — centenas de vezes da senhora da limpeza que trabalha no nosso ginásio.

— Se quiserem, podem comer alho ou até ratos — prossegue Carla. — Sempre teremos Paris. E o erre francês. E o dinheiro.

Carla e Nadia estão a deixar-me nervosa e sinto que a cabeça vai explodir de dor. Observo-as e tento manter as pálpebras muito quietas. Quero que entendam a pena que sinto delas. Mas nunca olham para mim, de modo que me rendo. Assim que Karl, o campeão polaco, entra na cafetaria, todas as raparigas levantam o olhar e voltam a baixá-lo imediatamente.

A verdade é que é lindíssimo.

Tem o cabelo penteado para trás com gel, tem o queixo bem marcado e usa uma camisola de capuz com o fecho aberto. Põe-se na fila com os seus colegas pequenos de equipa e depois senta-se com eles. Vimos Karl crescer e agora, de repente, transformou-se num adónis. Também terá asas? Para voar comigo talvez até Banguecoque? Oxalá os nossos rapazes tivessem chegado até ao campeonato. Pelo menos, isso ter-nos-ia aproximado mais desse semideus.

Todas as raparigas, incluindo nós, continuam a mastigar a sua comida quando Karl começa a mastigar a dele. Está a olhar para Angelika, é claro. Depois para Carla, é claro. Carla apenas arqueia uma sobrancelha e Nadia observa-o sem modificar a sua expressão, como se estivesse hipnotizada.

— Lindo — sussurra.

— Bom — diz Carla. — Seria perfeito para um anúncio de cuecas.

— Cresceu pelo menos vinte centímetros.

— Mas continua a ser um anão capaz de bater recordes — declara Carla. — Desses do *Guinness World Records*. Agora, por favor, podemos parar de olhar para ele ou queremos parecer umas verdadeiras perdedoras?

Deixamos de olhar para ele e de parecer umas verdadeiras perdedoras. Vamos a pé para o ginásio pela neve, e eu reparo nas árvores, nas cores, na temperatura e tento inventar novos detalhes para a minha vida aqui. Serei uma guerreira que terá fugido de todo o seu presente e de todo o seu passado. Escolherei um novo nome. Construirei uma cabana. Aprenderei a caçar a minha própria comida. E deixarei de fazer as coisas duas vezes.

— Mexe o rabo — diz-me Carla.

Mexo o rabo, atravessamos uma ponte que atravessa uma autoestrada, continuamos a andar pela neve e chegamos a um edifício amplo. Rachele informa-nos de que, para o aquecimento, partilharemos o ginásio com as equipas francesa, inglesa e romena. O outro grupo treinará com os chineses, os alemães e os espanhóis. Amanhã, teremos as classificatórias por equipas, portanto, agora, diz-nos, será melhor familiarizarmo-nos com o espaço, habituar-nos aos aparelhos e à atmosfera.

— Vamos partilhar com os rapazes! — exclama Nadia. — Karl para sempre!

É um pavilhão gimnodesportivo mastodôntico, enormíssimo. O chão e as paredes estão pintados de azul. Cheira bem, a uma mistura de detergente com cheiro a limão, ar limpo e disciplina. Eu gosto da disciplina, também gosto que as coisas estejam arrumadas. E que sejam previsíveis. De repente, sinto-me tão bem que digo: «Karl para sempre!». Mas digo-o tão baixinho que consigo fazer com que pareça uma tosse.

Rachele mostra-nos a secção do ginásio que nos atribuíram. Estou desejosa de fazer o aquecimento e todos os treinos do dia. Sinto os músculos como se fossem de madeira. Há pelo menos quarenta horas que não usamos os nossos corpos e agora temos de os mexer para os devolver à vida. Para que estejam felizes de novo e voltem a ser nossos, aquecendo-os. Tenho sempre medo de, se não treinar, receber um castigo e acabar incapacitada por causa de algum feitiço cósmico dos astros, como se tivesse estado a sonhar todo este tempo e os meus esforços, as medalhas e os meus anos de ginástica nunca tivessem existido.

— Por favor, volta — sussurro ao meu corpo. — Estamos na Roménia. Temos de nos habituar. Mas sabes fazer as mesmas coisas que sabias fazer em casa, está bem?

Alex esfrega-me os músculos com um creme de efeito quente. Olho para as mãos dele para me certificar de que não as sobe pelas minhas pernas. Tem as mãos peludas, com manchas castanhas da idade. Uma das manchas parece uma estrela.

— Sentes-te preparada, Martina? — pergunta-me.

Eu digo-lhe que sim com a cabeça, imagino que pulverizo essa estrela e desvio o olhar. Conto até trezentos e, então, passa a encarregar-se das pernas de Anna. Parece muito concentrado. Parece muito amável.

— Sentes-te preparada, Anna? — pergunta-lhe.

Olho para as mãos dele para me certificar de que também não as sobe pelas pernas de Anna. Então, levanto-me e aproximo-me das paralelas assimétricas. Carla e Nadia dizem muito depressa: «Vermelho, vermelho, azul, amarelo / Coca-Cola Fanta marmelo / dentes retos, pés retos / tu por mim, eu por ti / cocó amarelo, Fanta marmelo / eu cuido de ti e tu cuidas de mim».

Fazem-no antes de cada sessão de treino e antes de cada campeonato. Quando estamos em casa, os rapazes imitam essa rima da boa sorte para gozar com elas, mas usando palavrões ou repetindo uma e outra vez a parte do cocó amarelo. Ninguém sabe de onde vem esse mantra. Cocó amarelo. O que raios é isso?

46

Começamos todas a correr. Fazemos alguns exercícios de flexibilidade e de solo, aranhas, piruetas. Saltos de gazela, de gato, rodas simples, pinos. Rachele vê-nos a dirigir-nos para a mesa de saltos; depois, para as paralelas assimétricas. Alex também olha para nós.

— Que pervertido! — diz Carla, olhando para ele.

— É um porco — acrescenta Nadia.

— Boa sorte! — grita ele, do seu canto.

Pergunto-me se as outras raparigas, tal como eu, o imaginarão morto.

Sentir que os nossos corpos respiram de novo, se mexem, sentir o suor no peito e nas costas... são coisas maravilhosas. Os nossos movimentos tornam-se mais leves a cada segundo; as nossas pernas, mais flexíveis com cada passo. Se não treinarmos, dói-nos as costas e bastam duas semanas para que os músculos inutilizados se transformem em gordura. Vimos a infinidade de ex-ginastas que ficam balofas. É um dos nossos três principais medos. Juntamente com a paralisia e não ganhar nada em toda a nossa vida.

Enquanto nos dobramos, saltamos e rececionamos, reparamos nas outras equipas. O clube japonês, o americano, os húngaros. Os franceses, os ingleses e os romenos. Nem todos os clubes se classificarão hoje, alguns desaparecerão amanhã e terão de se ir embora da Roménia. Reparamos nos seus exercícios, estudamos os seus pontos fracos. Odiamos as raparigas bonitas e admiramos a treinadora romena, Tania, que é muito mais magra e estilosa do que a nossa voluptuosa Rachele.

— É magra porque não come — explica Carla. — Não têm dinheiro para comer.

— Os seus maiôs são melhores do que os nossos. E, além disso, podem usar calções para treinar, como as alemãs. Não suporto abrir as pernas sem os usar — comenta Anna.

— Não usar calções faz-te parecer mais elegante e em forma — garante Carla. — Não sejas queixinhas.

Às vezes, penso que Rachele e Carla têm reuniões secretas para decidir como nos obcecar a todas com coisas como não usar calções durante o treino ou manter-nos magras para que não tenhamos o período.

Durante outra ronda de abdominais, Nadia começa a falar de calamidades como cair e fraturar as vértebras. Enquanto alongamos as pernas, fala-nos dessa rapariga chinesa que morreu, da francesa que ficou paralítica e da sueca que está a consumir-se no hospital por causa da anorexia.

Estamos habituadas a ouvir a Nadia a fazer listas, a contar acidentes e a atualizar o número de ginastas tetraplégicas. Fala de coisas assim porque está convencida de que é estatisticamente impossível ficar paralítica se falarmos em voz alta da possibilidade de ficar paralítica.

Digamos que eu confio nela. Ou talvez a repetição tenha transformado a sua superstição numa teoria sólida.

Há alguns anos, Nadia chegou ao extremo de elaborar tabelas e gráficos. Sentava-se com um caderno e uma caneta e enumerava os acidentes do mês por ordem de gravidade, categorizando-os por idade, escola e região. Assustava-nos tanto que Rachele teve de a travar de forma oficial. Nadia tentou tirar importância ao assunto.

— É matemática — protestou. — Qual é o problema da matemática?

A sanção de Rachele não era negociável e as outras respiraram aliviadas porque era impossível não folhear esse caderno e cair no mesmo cômputo obsessivo. Mas acho que é muito pior ver a Rachele a benzer-se antes de fazermos os nossos saltos ou piruetas. Ou ouvir a Carla e a Nadia a repetir a sua rima absurda e ter de pensar no cocó amarelo uma e outra vez ou ver os rapazes a tocar na pila onze vezes antes de cada salto na mesa de saltos. Embora, claro, talvez sejamos todos um pouco obsessivos. Eu tenho de fazer as coisas duas vezes e, às vezes, até dez vezes seguidas e, afinal de contas, todas fazemos vista grossa no que diz respeito aos monstros e obsessões das outras e estamos dispostas a aceitar qualquer feitiço que criámos que nos permita ganhar e nos impeça de morrer.

Depois de uma hora de aquecimento, quando o nosso corpo e a nossa mente já estão fortes e voltam a ser nossos, começamos a praticar os movimentos para o campeonato. Primeiro, vêm os exercícios de solo. Depois, a trave olímpica. Enquanto trabalhamos nas paralelas assimétricas, com as mãos cobertas de giz que talvez algum dia se filtre para o sangue através das gretas da pele, as outras equipas praticam no resto dos aparelhos. Vamos rodando pelo ginásio em turnos de trinta minutos. Sinto-me insegura e fraca em todas as secções, mas a trave é a pior de todas.

Além disso, tenho um ritmo de merda.

Estamos perto da equipa romena e, cada vez que levanto o olhar, vejo o sorriso de Angelika. Vejo-a a dobrar-se para trás como se não tivesse esqueleto e fosse feita de matéria líquida, tão perfeita e tão leve. Parece que o faz de propósito, uma aula magistral de elegância e controlo sem esforço, porque não é normal sorrir tanto durante um treino. Ou talvez esteja a atuar para uma câmara oculta, o prodígio, sempre a dar tudo, sempre forte e segura de si mesma. Protegida da dor e das lesões. E talvez seja verdade, no seu caso. Os corpos são um presente, é como nascemos: há quem possa cantar e há quem tenha boa cabeça para a matemática e saiba explicar os fatores de x e y como se nada fossem. No nosso caso, não é apenas o treino. As campeãs são campeãs desde o começo. Não existem milagres, nunca existirão. Anna, Benedetta e eu, por exemplo, somos diligentes, esforçamo-nos e conseguimos transformar-nos em ginastas decentes. Mas nenhuma de nós será uma estrela. Somos suficientemente boas para ser úteis à equipa, para ajudar as nossas estrelas e passar a bola àquelas cujos nomes se recordarão. Eu também estou orgulhosa disso, mas é evidente que não basta. E ver o génio inato de Angelika, desejar ser ela e desejar vencê-la claramente não basta para conseguir chegar à final individual em aparelhos ou à final geral de domingo.

E muito menos às Olimpíadas.

Nas paralelas assimétricas, Carla ilumina o recinto inteiro executando um *Nabieva*. Observo a sua sombra na parede, como se fosse a de um super-herói, os contornos do seu corpo a demonstrar ao mundo que consegue voar e que, mesmo neste universo, a magia existe e às vezes é muito visível e muito próxima. Tem uma silhueta perfeita e a pulcritude do seu exercício é extraordinária. É rápida. Tem o controlo. A sua ginástica é um poema sobre o amor. Assim que faz a receção ao solo, com esse salto encarpado duplo que lhe sai tão bem há um ano que quase já se aborreceu de o fazer, pisca um olho a Nadia e faz um gesto vulgar a Angelika, que nem sequer está a olhar para ela.

— Agora, tens medo, não é, cadela? — murmura.

Leva uma mão ao peito e também finge que é o treinador Florin, o herói de Angelika, a ter o seu famosíssimo ataque de coração.

Rachele olha de um lado para o outro para ver se os outros treinadores estão a olhar para o seu pequeno prodígio. Durante a competição, não é permitido olhar para a reação do júri, mas hoje pode desfrutar do momento. Terão visto o que Carla sabe fazer nas paralelas? Parece-me que não e sinto pena de Rachele porque talvez seja agora que olham, agora que é a minha vez, e que me verão com as minhas dificuldades. Verão que sou feita de madeira dura e argila frágil. De medo e dor.

50

Salto, agarro nos banzos mais baixos e ouço que Rachele grita os meus erros habituais, chamando-me preguiçosa, conforme o meu corpo vai perdendo segurança, depois precisão. Não estou a fazê-lo bem e todas sabemos, mas, com cada uma das suas palavras, faço-o ainda pior. Mais do que isso, cumpro a sua profecia. Torno-me preguiçosa. A perdedora. A minha ginástica é uma canção má que magoa os ouvidos e chateia. Quando desço, a tentar inchar o peito, Alex diz-me «Bem», e ninguém acrescenta mais nada. O silêncio de Rachele é pior do que os seus insultos.

Aperto o coque duas vezes e espero que os batimentos do coração se acalmem. Já estou há anos à espera.

Quando chega a vez de Nadia, tudo para. Os seus olhos, os seus pés, a respiração de Rachele. O milhão de flocos de neve no céu sobre a floresta Cozia também fazem uma pausa, suspensos no ar.

— O que se passa? — pergunta-lhe Carla.

— Nada.

Mas todas sabemos o que se passa. Nadia está a ver coisas. Uma vez, ouvi-a a dizer que via as coisas como se estivessem a ser filmadas com baixa resolução. Como se, em vez de ganhar vida através dos seus olhos, surgissem através de um telemóvel velho.

— Ou descarregadas com uma ligação à Internet muito lenta — tinha-nos contado.

Isso faz com que a assustem ainda mais. Não reconhece as imagens como se fossem dela ou tivessem sido escolhidas por ela. É como se alguém estivesse a enviar-lhas. Mas de onde? E porquê?

Eu começo a contar até cem. Os rapazes polacos começam a rir-se com dissimulação. Karl está a olhar. E alguns dos outros treinadores olham finalmente para nós.

— Nadia, vá lá, é a tua vez.

— Um segundo.

— Nadia, estás a assustar-nos a todos — diz-lhe Rachele. — Espevita.

Reparo que Nadia aperta tanto o queixo que poderia partir os dentes.

— Está bem, está bem. Já vou.

Mas Nadia não vai a lado nenhum. Parece estar perdida em algum lugar e dali não pode ir a lado nenhum nem fazer nada. Quando fica paralisada dessa forma, às vezes, Carla aproxima-se e chama-lhe idiota ou diz-lhe «Mexe-te, por amor de Deus. Vamos!». Às vezes, belisca-lhe o rabo para tentar fazê-la entender que devia interpretar tudo como se fosse uma brincadeira. Um beliscão no rabo. Uma daquelas coisas da vida que aceitamos sem mais nem menos, como os dedos de Alex a mexer-se para cima e para baixo, para a esquerda e para direita, dentro do meu corpo desde que tinha dez anos, ou a Bíblia que a devota da tua mãe te lê dez vezes por dia.

Não há razão para o transformar num grande drama nem para lhe dar demasiada importância.

De modo que, desta vez, Carla aproxima-se e todas vemos a sua sequência habitual de olhares depreciativos e sussurros de ânimo. Mas Nadia não reage e eu só penso que é bonita, mesmo quando está louca e paralisada. O seu cabelo reflete a luz e parece brilhante e bela. Está tão quieta como uma fotografia que eu observaria durante horas se estivesse na minha mesa-de-cabeceira. Examiná-la-ia com atenção para entender como é possível que umas ancas possam ser tão delicadas e a pele de uma menina possa brilhar como se fosse feita de luzes minúsculas cor-de-rosa.

— Escuta, pequena lesma. Mexe-te de uma vez — diz-lhe Carla.

Mas Nadia continua petrificada.

— Queres que te morda? — ameaça-a Carla. — O que é que

estás a ver nessa tua cabeça tão estranha? Tragédias e pescoços partidos? Sonhas que a patética da Angelika nos faz um favor a todas e magoa um pé? Que morre?

Nadia nem sequer olha para ela. Carla parece duvidar que as suas palavras mágicas vão funcionar e, embora continue a dar ordens a Nadia, nota-se pela forma como inclina o pescoço e como mexe as mãos que alguma coisa não está bem. Então, como se o seu bloqueio nunca tivesse existido, Nadia sorri.

— Aqui vou eu.

E, com efeito, lá vai. Arqueia as costas algumas vezes, corre para os banzos das paralelas, começa os seus exercícios, o *Maloney* sai mal a meio da execução, portanto, recomeça e agora sai às mil maravilhas. A sua sombra projetada na parede é mais curta do que a de Carla. E falta-lhe definição. Nunca conseguirá fazer uma volta completa seguida de um *Derwael-Fenton*, mas ainda é a segunda melhor ginasta. E além disso é muito forte. A prática corre-lhe bem, apesar do erro e, como de costume, apesar dos seus medos que, com muita frequência, também são os nossos medos. De maneira que respiramos, contentes e aliviadas, e sorrimos ao ver Nadia a esquivar o perigo, porque nós também o esquivámos. Esperamos que não aconteça durante a competição, mas quem sabe.

A questão é que está aqui. E estamos aqui.

Nenhuma de nós está aqui contra a sua vontade. As nossas famílias não nos obrigam. Não é como se fôssemos futebolistas e estivessem a enriquecer às custas de nos explorarem. E também não é que os nossos pais possam cuidar de nós, ou proteger-nos, quando passamos tanto tempo longe deles. Exceto no caso de Caterina, claro. A sua mãe, sim, salvou-a. Mas, como diz Nadia, estatisticamente, já existiu uma: uma mãe levou a sua filha e as fraturas que se curaram foram as dela.

Portanto, nós temos de ficar aqui.

Quando tínhamos sete ou nove anos, queixávamo-nos. Aos jovens treinadores adjuntos, que nos pareciam simpáticos. E aos nossos pais. Voltámos a tentar aos dez. Depois aos onze. Às vezes, contávamos-lhes o que estava a acontecer, os comprimidos que tomávamos para bloquear a dor e acalmar o pânico. Repetíamos os insultos que nos proferiam todos os dias. Com treze anos, algumas dissemos coisas sobre Alex. Dizíamos «Nós não gostamos dele, mamã», ou «Isso está bem, treinadora?». Ou também «Pode fazer com que pare?». Mas, ao ver que não mudava nada, começámos a queixar-nos cada vez menos, até ficarmos caladas.

Até voltarmos a sorrir. E a fazer reverências de novo.

Agora, quando falamos de outras ginastas, das nossas rivais, usamos os mesmos insultos que nos magoavam tanto. Agora, essas são as nossas palavras e, quando as dizemos, não sentimos nada. Não significam nada. A ginástica ocupa tudo nas nossas vidas. Esta equipa é tudo nas nossas vidas. Cada uma de nós tem o seu próprio plano secreto, uma razão para ficar.

Gosto de pensar que, se for suficientemente boa e chegar às Olimpíadas, ganharei dinheiro. Com dinheiro, poderei comprar uma casa maior para a minha família e, algum dia, comprarei um ginásio onde ensinarei ginástica e realizarei campeonatos locais e regionais que me darão ainda mais dinheiro. Trabalharemos juntos no ginásio, os três. A minha mãe, o meu pai e eu. Talvez me case com alguém simpático — não um ginasta, nem um treinador, nem um atleta, isso certamente — e talvez tenha alguns filhos que não serão tão pobres como eu sou. Só isso transformar-me-á numa pessoa melhor e também melhorará a minha vida. O meu ginásio estará pintado em tons púrpuras. Ou azuis. Sim, azuis. Terá sauna e janelas enormes que darão para um jardim. E, quando acabar esta vida, a que tenho agora, não engordarei. Correrei e nadarei. Rir-me-ei. E falarei.

— Hora de ir almoçar — anuncia Rachele.

— De ir jejuar! — murmura Carla.

Nadia agarra-lhe a mão e guia-a para a saída. Enquanto as seguimos, olhamos para trás e vemos Angelika a executar um exercício de solo espetacular. Uma prancha *Mukhina-Silivas*. A sequência dos seus elementos, da sua rotina, é a mais difícil que vi aqui. Ou talvez na minha vida inteira. A sua ginástica é a beleza personificada. Também magia. Então, como se não acabássemos de ser testemunhas dos seus poderes sobrenaturais, entretemo-nos a ver Carla a imitar a forma de andar dos patos, dos leões e dos gatos, a andar em pontas, a tentar fazer toda a equipa rir-se. E claro que nos rimos quando finge que é uma serpente a arrastar-se pelo chão. A esticar o rabo para cima e a assobiar com a língua, imitamo-la, retorcendo-nos, tentando libertar-nos da existência de Angelika, dos seus exercícios e da sua beleza. Nadia também cumprimenta Karl do chão e Carla diz-lhe: «Para com isso, idiota». Mas ri-se e, de qualquer forma, Karl não nos viu: continua a olhar para Angelika, para o seu corpo perfeito, a sua sequência perfeita, e talvez, tal como eu, ele também pense: «De noite, a Angelika é um gato».

E, talvez, de noite, Angelika esteja a salvo.

Anoitece depressa, como nos filmes quando o céu e as nuvens mudam de cor em cinco segundos e a vida se sucede em câmara rápida e, de repente, estamos à frente da casa de banho de Rachele para o nosso banho de gelo posterior ao exercício. Tanto faz que saiba que é algo bom para mim, porque continua a custar-me muito a entrar na banheira. Ao princípio, dói muito e a única coisa que desejo é fugir. Decorridos exatamente sessenta segundos, uma contagem decrescente de um minuto com os dentes cerrados, invade-me o prazer. Primeiro, sinto-o na garganta, depois o calor espalha-se por todo o lado, para o rabo, para os olhos, para a raiz de cada cabelo. Grito em êxtase e tanto me faz que Rachele ou qualquer outra pessoa me ouçam. Sinto um formigueiro na pele, os músculos tremem e sinto que me agradecem.

«Obrigado, Martina — dizem-me. — Obrigado por teres a coragem de entrar na água hoje, por sentires que o coração para e depois volta a bater. És uma autêntica guerreira.»

Depois, as guerreiras vão-se embora e têm a sessão de fisioterapia com Alex e quase nos permitem relaxar nesses momentos, deixar que os nossos músculos desfrutem da perícia das suas mãos, porque nunca nos toca por baixo do maiô quando estamos num campeonato.

— Talvez tenha medo da polícia dos países estrangeiros — diz Carla, às vezes, tirando-lhe importância. — Ou talvez se transforme num monstro diferente segundo a zona horária. Talvez aqui se dedique a comer pessoas.

E, às vezes, também se ri.

Mas eu nunca sou capaz de me juntar às suas gargalhadas. Nem sequer me parece que sejam gargalhadas, simplesmente, são semelhantes. Dá-me a impressão de que Carla escolheu não se preocupar com isso. Mas claro que se preocupa. Finge que não dói, mas claro que dói. Tal como Nadia que, para sobreviver, escolheu projetar para todas o medo que tem de Alex. Suponho que eu tenha escolhido repetir as coisas em sequências. E ficar em silêncio sempre que puder.

Durante a sessão de hoje, também fico em silêncio sempre que posso. Não me toca por dentro e eu conto até desligar. Até ver o meu corpo tão inerte como um cadáver. Depois, como uma pedra. Tento inalar o cheiro da marquesa de massagem: o plástico, o sabão com que se limpa. Tento não me deixar infetar pelo cheiro do corpo de Alex. Tento imaginar o supermercado onde comprou o sabão. O dinheiro com que o pagou. Aqui tem os quatro euros, obrigado, que tenha um bom dia.

— Diz à Carla para entrar — diz-me.

E eu digo à Carla para entrar.

De volta ao nosso quarto, embrulhada no meu roupão, deito-me na cama, com a pele avermelhada pelo gelo e pelo calor, e ligo para a minha casa. Não é que queira fazê-lo, mas prometi-o e é melhor cumprir essa promessa quando as outras duas ainda não voltaram. Enquanto o telefone toca, imagino as raparigas a comer Karl com os olhos e os outros rapazes bonitos, todos os espanhóis ou o francês que tem esse «cu francês tão apetecível». Imagino a Carla e a Nadia, idênticas, mas com uma cor de cabelo diferente, como as gémeas num filme de terror. Também as imagino a fazer algum tipo de brincadeira a Angelika, a cortar-lhe o maiô ou a sujá-lo de *ketchup* ou de algo asqueroso como cuspo ou xixi de gato. Odeio-me a mim mesma por passar tanto tempo a pensar nelas. Adoraria ser capaz de parar de o fazer.

Embora, claro, essa seja outra das coisas para acrescentar à lista de coisas que eu gostaria de ser capaz de parar de fazer.

Quando o meu pai atende o telefone, diz-me imediatamente que, segundo o calendário profético de um monge famoso, amanhã e domingo são os meus dias de sorte.

— É muito provável que te classifiques e é mais do que provável que eu consiga arranjar um emprego. Dentro de pouco, talvez até seja amanhã — diz-me. — Na semana que vem, o mais tardar.

— Fantástico — digo-lhe.

— Talvez a fábrica esteja a reabrir as suas portas neste momento e estejam dispostos a readmitir-nos a todos. A tua sorte também é a minha sorte! — A sua voz parece pastosa e deteto o álcool nela. — Ganharás e cairás e voltarás a ganhar. No amor, na vida, em tudo — prossegue. — Minha ratinha travessa, tens de ser feliz!

— Onde está a mamã?

— Foi limpar o cabeleireiro. Apanhar cabelos — diz-me. — Sonha que os encontra na boca e acorda a tentar tirá-los de entre os dentes. Que engraçada. E que nojo. Suponho que essa seja uma das razões por que, na Família dos Ratos, a amamos, não é?

Começa a rir-se e eu digo-lhe: «Amamo-la, sim».

Digo-o apesar de dizer «amar» ou qualquer outra frase semelhante que contenha a palavra «amor» me fazer sentir triste. Imito o som de alguns beijos e desligo o telefone. Assim que finalizo a chamada, começo a chorar.

Pelo menos, desta vez, o meu pai não cantou *That's Amore*.

Olho pela janela para ver se os lobos estão ali, no mais branco dos brancos. Em vez disso, vejo Nadia e Carla, e algumas das raparigas romenas, também algumas ginastas chinesas e outras que não sei de onde são. Parece que são amigas, a contar piadas umas às outras, a partilhar gargalhadas, embora seja provável que estejam a dizer crueldades umas às outras nas suas respetivas línguas. Abro a janela e o ar frio atinge-me na cara, juntamente com o som das vozes das raparigas.

Daqui, é como se fossem uivos.

Durante os torneios, quando não estamos a treinar, com frequência, desafiamo-nos umas às outras, para ver quem aguenta mais tempo a fazer o pino ou quem faz um salto mortal. Esta noite, junto dessa floresta escura, estão a competir para ver quem aguenta mais tempo a fazer o pino com as mãos metidas na neve. Do meu quarto, sinto a sua dor, os dedos gelados, o sangue que se transforma em gelo. É quase divertido ver essas aspirantes a desportistas olímpicas a desafiar-se umas às outras ali fora, a dez graus abaixo de zero, enquanto eu estou quentinha no meu quarto, a recuperar a circulação do sangue depois do banho de gelo, com o aquecimento ligado no máximo.

Nunca participei nesse tipo de competições, mas depois, em casa, tento sempre levar a cabo qualquer que tenha sido o desafio, cronometrando-me, só para ver como me sairia se tivesse a oportunidade de competir.

Fá-lo-ia bem.

Agora, enquanto suportam o frio da neve nas mãos a fazer o pino, reparo nas suas costas invertidas, destapadas, enquanto a neve continua a cair, e vejo que Nadia ganha contra Angelika e Carla. Quando finalmente se endireita, as outras aplaudem. Eu também aplaudo e questiono-me se as outras duas — as campeãs, as mais fortes de todas — terão perdido de propósito. Interrogo-me se Carla e Angelika são ambas demasiado inteligentes para se arriscarem a lesionar-se mesmo antes da classificação por equipas. E se serão ambas demasiado inteligentes para não saber que estão a usar Nadia, ao mesmo tempo que a enfraquecem.

QUARTA-FEIRA

— É a primeira vez que gosto tanto de alguém — ouço a Nadia a dizer, quando acordo.

Tenho frio. Ainda é de noite. Acho que continuo a ser eu, mas tenho de ir olhar para o meu cabelo vermelho e tudo mais.

— Mesmo que seja baixo? — pergunta Carla, rindo-se. — Mesmo que não seja eu?

Consigo contar os batimentos sem necessidade de levar um dedo ao pulso. A única coisa que tenho de fazer é ouvir o que acontece no meu interior. O meu corpo é um quarto vazio; nele, os batimentos do coração ouvem-se com força e arranjam espaço entre a carne, os órgãos e o sangue. O meu coração é do tamanho de um punho, mas, se quiser, posso torná-lo maior, como um balão, como o sol. Vejo o meu sangue a entrar e a sair dos ventrículos deste sol, a percorrer as minhas veias, os meus capilares. Adoraria dizê-lo em voz alta, perguntar a Carla e a Nadia: «Veem como o sangue dá cor aos meus lábios? Percebem que, se me concentrar, consigo aquecer as mãos e fazer com que o meu coração seja do tamanho do sol?».

Mas, como ainda sou eu, continuo em silêncio, mesmo estando na Roménia. De modo que, em vez de mim, é Nadia que fala.

— Ontem à noite, encontrei-o na casa de banho do andar de baixo — diz. — Eu estava a dar saltos para sentir as bolhas do refrigerante na barriga. Entrou e riu-se.

— Quando foi? — pergunta-lhe Carla. — O que é que eu estava a fazer?

— Estavas a falar com a Anna e a Benedetta — responde Nadia. — Obcecada com a rapariga gorda imaginária.

— A Anna tem o cabelo muitíssimo gorduroso. Não entendo. Com todo esse dinheiro, porque não compra o condicionador mais caro do mundo? E um champô. E um cabeleireiro.

Blá-blá-blá. Quantas vezes as terei ouvido a dizer coisas sobre o cabelo de Anna ou o dinheiro de Anna? O meu coração, do tamanho do sol, dá um salto. Seria melhor voltar a diminuí-lo, fazer com que passe de ser uma grande estrela de plasma ardente a um punho minúsculo.

— Sorriu para mim — continua Nadia. — Então dissemos olá ao mesmo tempo.

— Que romântico! — diz Carla, com a voz cortante como o vidro.

— Começou a fazer uma pirueta no corredor e eu imitei-o. Também fiz um mortal à retaguarda e ele imitou-me. Continuámos com diferentes movimentos até acabarmos frente a frente, com a minha barriga colada à dele, eu a fazer o pino contra o seu…

— O seu pénis?

— O seu corpo!

Percebo a sensação que Nadia teve nas costas naquele momento. O vaivém do seu rabo-de-cavalo enquanto fazia o pino ponte, a perspetiva do mundo daí. Ao contrário, é claro. E inclinado, como se estivesse dentro de uma piscina. Sentir-se assim é a magia do pino ponte, tal como a magia do duplo salto mortal é suster a respiração e transformar-se num peixe voador. Mas não digo nada sobre sangue nem lábios vermelhos, nem piscinas nem peixes voadores.

— Também roçámos os narizes. Esfregámo-los quando estávamos ao contrário — prossegue Nadia.

— Que nojo! — exclama Carla. — Isso não tem nada de *sexy*.

— Foi muito agradável — garante Nadia e começa a rir-se. — Acho que os narizes podem ser muito *sexys*.

Carla sobe para cima dela e obriga-a a esfregar os narizes; eu obrigo-me a não olhar e começo a contar. Chego até setecentos e, então, adormeço.

A próxima coisa que oiço é Carla.

— Não suporto essa puta — está a dizer e sei que está a falar de Angelika.

Ouço que o seu edredão se mexe e os seus passos na alcatifa. Abro os olhos e vejo que Nadia e ela estão a olhar pela janela. Nadia está completamente nua e Carla usa uma ligadura fluorescente à volta do joelho esquerdo que brilha à luz da lua, como esses autocolantes em forma de estrela que há nas paredes dos quartos. Esses mesmos autocolantes em forma de estrela que, no fim, deixam de brilhar e deixam marcas pretas de cola para sempre nas paredes.

Vistas de trás, parecem crianças pequenas, com as nádegas redondas e firmes, as pernas curtas e as costas arqueadas. Duas crianças pequenas de uns cinco ou sete anos, com a pele cheia de nódoas negras e arranhões. Essa também seria uma imagem linda, a brancura de fora e a loira e a morena a espreitar pela janela, iluminadas apenas pelo céu, com as mãos entrelaçadas, a confirmar o seu pacto de união eterna, enquanto criticam Angelika. Angelika a louca, Angelika a inimiga, Angelika a cadela que tem de morrer.

— Mas porque continua a correr? O Florin está morto, idiota! — grita Carla, através da janela aberta.

— Já podes parar! — exclama Nadia. — Já percebemos, és uma convencida!

Apertam-se mais uma contra a outra, abanando a cabeça, e dão alguns saltinhos antes de voltar a correr para se deitarem por baixo do edredão. Continuam a rir-se por causa do frio quando volto a fechar os olhos. Sinto o gelo sobre a sua pele e, enquanto me entrego de novo aos meus sonhos, vejo os seus corpos nus, misturados com o cabelo na boca da minha mãe, e Angelika de gatas como um cão, e ouço o ritmo da sequência mais famosa de Nadia Comaneci nas paralelas assimétricas. É um *solfeggio* que sei de cor. Pergunto-me se também conseguirei obrigar os batimentos do meu coração a imitar esse ritmo.

Continuo a sonhar quando toca o segundo alarme. Espreguiço-me, tomo um analgésico, depois entro na casa de banho para poder limpar o resto dos sonhos e verificar o grau de vermelhidão do meu cabelo. Gosto de estar debaixo de água. Consigo suster a respiração por baixo do jorro durante muito tempo. Se não tivesse escolhido a ginástica, teria sido boa em natação e, talvez, quando terminar, isso ainda possa ser uma opção. Talvez vá a nadar para os campeonatos.

Atravessarei todos os oceanos e todos os mares imensos.

De volta ao quarto, estamos concentradas e tensas. Vestimos o maiô azul para a classificação por equipas, cobrindo o nosso corpo desde o sexo até aos ombros. Borrifamo-nos com um pouco de cola para que o tecido se cole ao rabo e assim não se mexa. Podem tirar-nos pontos se ajustarmos o maiô durante um exercício ou se nos virem parte da roupa interior. Estes maiôs não são tão elegantes como o que vestirei no domingo, se conseguir classificar-me, e é por isso que os prefiro. Gosto sempre mais dos da prova classificatória, porque são mais simples, monocromáticos e não demasiado chamativos. Os que se usam para a prova geral da final são de um cor-de-rosa vivo e estão cheios de lantejoulas.

Não gosto de cor-de-rosa, também não gosto de lantejoulas. Nem sequer estou convencida de que gosto da final.

Nadia e Carla pintam as unhas uma à outra, ajudam-se a apertar o coque e olham-se para ver que aspeto têm por trás. Estão incríveis, ambas concordam. Examinam-me para ver como estou. As minhas coxas. O meu rabo. «O teu corpo não é teu, é da equipa», ouço a Rachele a dizer na minha cabeça.

— Não tens medo de ter celulite? — pergunta-me Carla.

Imagino que, por trás, não esteja incrível como elas.

— Sabias que as ruivas têm celulite mais cedo? Não tens medo? — diz-me Nadia.

— Não — respondo.

Embora a resposta verdadeira seja sim. Agora sim, tenho medo da celulite. Não suporto a celulite e não quero que se aproxime de mim. Tal como os carboidratos, a voz estridente de Rachele, a respiração acelerada de Alex e os lobos lá fora.

Nadia aperta o máximo possível a fita elástica no joelho de Carla e depois põe-lhe o protetor. Carla suspira.

— Dói-te? — pergunta-lhe Nadia.

— O que te parece? Demasiadas operações. Doerá para sempre — responde Carla.

— Sim, mas quanto te dói hoje?

— Para de me chatear e puxa com mais força.

— Já estou a puxar, mas, se te dói, deves dizer ao Alex e à Rachele.

— Olha, louca, veremos se tenho de te dar um pontapé no rabo. O joelho está bem. Consigo aguentar a dor sem problemas. O que não aguento é a tua voz.

Eu ligo o meu iPod antediluviano, escolho o modo aleatório e continuo a preparar-me enquanto as observo com dissimulação. Prestamos atenção suficiente a esse joelho esquerdo? Começo a sentir a dor que poderia causar a cada uma de nós. Acontece o mesmo com a culpa ou a responsabilidade, que partilhamos. E, como as partilhamos, estaremos todas fracas no domingo, quando precisamos que Carla esteja forte e ganhe medalhas. Um corpo, um coração. Um joelho.

Na cafetaria, todas as equipas parecem calmas e organizadas, cada uma sentada à sua mesa, com os seus respetivos treinadores e fisioterapeutas à cabeceira, todos vestidos com o fato de treino do seu clube. Tenho a certeza de que muitas delas têm um Alex. Discreto e amável visto de fora, formal e bem-disposto, mas capaz do pior à porta fechada. Os outros ginastas também terão pedido ajuda e ninguém os terá ouvido? Também sentiam que dizê-lo em voz alta era tão doloroso que parecia que iam cair-lhes os dentes e partir-lhes o coração? O seu treinador, tal como Rachele, também lhes prometera que já estavam a salvo?

Passaremos todos a noite a contar até mil e depois até um milhão?

As raparigas usam demasiada maquilhagem e os rapazes, demasiado gel no cabelo. Hoje, serão eliminadas oito das dezasseis equipas. Não devíamos preocupar-nos e já sabemos mais ou menos quem será eliminado: a equipa irlandesa, a grega, sem dúvida, e assim sucessivamente. Mesmo assim, preocupamo-nos, também porque não nos preocuparmos equivaleria a não sermos humildes. Ou boas. E, além disso, dá azar.

Bebemos o café, comemos as meias bolachas de cartão e ouvimos a Rachele. Esta manhã, prestamos mais atenção porque temos medo do que está por vir. Até conseguimos ouvir Alex sem que nos brote o ódio pelos poros da pele, sem enjoarmos, enquanto nos indica que devemos aquecer adequadamente e prestar atenção aos cuidados das lesões. Nadia está a começar a ficar pálida, Anna parece estar à beira de um ataque de pânico, Benedetta está a tremer, Carla fala mais alto do que o normal enquanto se mentaliza de tudo o que Rachele diz que devemos ou não fazer.

— E não comam demasiado — conclui Rachele, reparando nos nossos pratos.

— Como se pensássemos fazê-lo! — comenta Carla.

Imediatamente, decido deixar metade da minha meia bolacha.

— Quando chegarmos ao ginásio, como o Alex acabou de dizer, faremos os aquecimentos. As provas classificatórias começam às onze — explica Rachele. — Carla, por favor, para de te rir. E, Nadia, não a encorajes, por favor. Respeito, elegância e sinceridade. Não quero ouvir nenhum comentário sobre as outras equipas. Sejam fortes, porque são fortes. Sejam valentes, porque são valentes. É por isso que estão aqui e todas as outras raparigas que começaram a ginástica com vocês já desapareceram.

Olha para nós. Estará a decidir em segredo quem também desaparecerá do nosso clube dentro de pouco? Serei eu?

— Benedetta — diz, de repente. — Volta a arranjar o cabelo. Somos um coração. Um corpo. E com um cabelo assim, o nosso corpo fica horrível. Bom. Vamos trabalhar. Portem-se bem, raparigas.

Trabalhar, trabalhar, trabalhar. Rachele di-lo com tanta frequência que só o facto de a ouvir a repetir a palavra *trabalhar* representa um trabalho árduo. Tal como não para de repetir: «Sejam fortes porque são fortes» e que temos de nos portar bem. Sabemos as suas frases de cor. No entanto, antes de uma competição, temos de as ouvir uma e outra e outra vez. Porque o que diz é sempre importante no que diz respeito a rituais, superstições e repetições e porque foi a presença mais constante nas nossas vidas, de modo que, apesar de tudo, temos de a suportar e tolerar o que imaginamos que é uma espécie de amor. Também não é que tenhamos escolha. Passamos mais horas com a Rachele do que com as nossas mães. Sabe se temos cáries, se usamos aparelho e como estão as nossas análises ao sangue. Conhece o nosso passado e o nosso presente. Provavelmente, também conhece o nosso futuro, o que será de nós e quem fará parte da equipa nacional. Sabe quem não cumpriu a sua promessa e, apesar de todos os seus esforços, está a piorar cada vez mais. É provável que também saiba se me classificarei entre as primeiras quinze no domingo. E quem, mais cedo ou mais tarde, acabará por sucumbir ao horror. Certamente, está ao corrente de cada detalhe do que Alex nos faz, a mim e a todas as outras.

— Deixa que me encarregue disto — disse-me. — Agora, estás a salvo, Marti.

Tinha tido de reunir toda a coragem deste e de outros universos para pôr uma palavra atrás da outra. Para as dizer em voz alta. Tinha passado noites inteiras a chorar e a vomitar para ser capaz de olhar para ela nos olhos e contar-lhe que, em quase todas as sessões de fisioterapia, Alex me penetrava com os dedos. Que, às vezes, ainda sem recordar bem se já me tinham crescido as mamas, mas agarrava e começava a massajá-las. E que, com frequência, o ouvia a ofegar enquanto me massajava, tocava em mim, me acariciava. É violação, treinadora? Pode fazer com que pare?

— Não te preocupes — disse-me. — Eu encarrego-me disso. E obrigada por confiares em mim.

Deu-me um abraço.

Durante umas duas horas e meia, acreditei nela. Acreditei na força daquele abraço. Pensei que, ao usar toda a minha coragem, tinha sido a pioneira que devia ser e que tinha resolvido a situação. Imaginei-me a ver como a polícia detinha Alex, nunca mais ter de voltar a vê-lo e descobrir, através das notícias, que estava na prisão. Imaginei-me a escrever à sua mulher. E a apagar as palavras do cartão. E a voltar a escrevê-las.

Mas, quando chegou o momento da minha próxima sessão de fisioterapia, voltou a acontecer o mesmo. Ali estava Alex, na sala. Rachele não estava lá. E, certamente, a polícia também não estava. Ele estava de bom humor. Falou-me com amabilidade.

— Mas, então, Marti — disse-me —, o que foste contar à Rachele é horrível. E lamento muito que tenhas tido de sentir medo sem nenhum motivo. Interpretaste as minhas intenções completamente mal e, sim, talvez isso seja culpa minha. Tenho a certeza disso. Ao fim e ao cabo, eu sou o adulto. A questão é que não te dei a informação fundamental para que entendesses que tudo o que faço é por um motivo médico. Olha para isto.

Mostrou-me um vídeo de baixa qualidade em que aparecia um quiroprático a fazer alguma coisa à anca de alguém. Enquanto via o vídeo, desliguei e comecei a contar, para não desmaiar. Quando acabou o vídeo, deitei-me de barriga para baixo e ele começou a trabalhar-me as ancas. Tinha chegado ao número 1007 quando o seu dedo médico voltou a introduzir-se no meu interior por motivos médicos. E, meia hora depois, tendo alcançado o número 4023, já estava de volta ao ginásio.

Isso foi há dois anos.

Os exercícios de solo são a minha especialidade. A trave olímpica é o meu ponto fraco. Não saberia dizer se sou suficientemente forte para o conseguir no domingo ou alguma vez na vida, porque não é fácil ser capaz de me ver e de me entender de dentro. Não é fácil entender se sou boa quando os outros dizem que sou. Ou se estou a salvo quando os outros dizem que estou. Assim, hoje, a única coisa que sei é que sou ruiva e que as ruivas têm celulite mais cedo. Sei que é melhor comer menos e trabalhar mais. Sorrir e lutar pela equipa. Também sei que, quando a Carla reza à noite, quando recita o pai-nosso, ela também está a tentar entender tudo e que quando a Nadia cospe a sua comida num guardanapo, está a fazer o mesmo. Sei que é por isso que a Benedetta faz cortes perto da pélvis, porque ali o maiô tapá-los-á e que, às vezes, consegue fazê-los com as unhas, mas geralmente usa uma lâmina. Reparo no resto das mesas à minha volta e sei que muitos desses treinadores ou treinadores adjuntos insultam ou perseguem as raparigas e os rapazes das suas equipas. É por isso que a música no volume máximo é melhor do que as palavras, é por isso que ser forte é melhor do que ser fraca e sobreviver parece uma opção melhor do que morrer.

A metade da minha meia bolacha será sempre melhor do que nada.

Carla dá uma cotovelada a Nadia e ambas começam a olhar para Karl. Até ele parece mais sério esta manhã; espera-se muito dele e quem sabe se terá conseguido dormir bem esta noite. Karl olha para Nadia e Carla pisca-lhe um olho.

— Para, idiota — diz Nadia. — Porque lhe piscas o olho? É meu.

Percebo a raiva no olhar de Nadia. Na tensão do seu corpo inteiro.

— És uma chata. Tu é que és minha e só minha. Vou falar com ele com a língua — diz Carla.

Viro-me e vejo que está a lamber os lábios. Ficam brilhantes por causa da saliva e tapa a boca com a mão para que a treinadora não a veja. Mas, na verdade, quer que as outras a vejam, assim como toda a equipa de Karl. E, é claro, todas a vemos.

— Fá-lo como eu — diz a Nadia. — Faz com que enlouqueça.

Nadia está prestes a imitá-la, mas, em vez disso, fica a olhar para a língua de Carla como se estivesse a estudar a sua saliva brilhante e luminosa.

— Odeio-te — diz-lhe.

— Amas-me — responde Carla.

Ama-la.

No outro extremo da cafetaria, Angelika tem o semblante tremendamente sério, nem sequer pestaneja enquanto ouve o seu treinador. Na minha opinião, ser capaz de não pestanejar é sinal de verdadeira dedicação. Eu gostaria de ser romena, acho, aqui e agora. Porque as ginastas romenas são realmente bonitas e não parecem infelizes nem corcundas como as assistentes sociais, que são as únicas romenas que aparecem na televisão ou de que Carla fala. Não são apenas mais bonitas, mas, regra geral, também são melhores ginastas.

O meu pai queixa-se sempre de que neste mundo de merda ninguém pode cuidar dos seus próprios filhos. As amas deixam para trás os seus próprios rebentos e mudam-se para outro país para cuidar dos filhos de umas mães ligeiramente melhor na vida, que não podem cuidar dos seus próprios filhos porque têm de ir trabalhar. Segundo ele, isto transforma-se num absurdo círculo vicioso. Segundo ele, vivemos num mundo doente.

— Sobretudo, se tivermos em conta que os super-ricos, como as atrizes famosas — acrescenta —, adotam crianças pobres que, por sua vez, são os filhos e as mães de outros pais, e isso também deve dizer alguma coisa sobre a nossa ideia do amor, correto?

E, regra geral, então, começa a explicar que talvez isso seja algo bom, algo que funciona de certo modo e que em centenas, milhares ou milhões de anos teremos criado um sistema com fluidez própria, megafamílias de mães muito distantes que criam os filhos de outras mães porque talvez até isso seja melhor.

— Talvez até seja melhor não te misturares com os do teu próprio sangue. Talvez seja um avanço para a civilização, algo que nos traga paz. Tal como as girafas têm o pescoço comprido e algumas pessoas não têm medo do sangue para que assim possam ser médicas enquanto as outras não podem. Talvez a nossa forma de desenvolver um pescoço comprido seja deixar de cuidar dos nossos próprios filhos: imagina o que aconteceria se esse fosse o sistema mundial. Talvez desaparecesse o racismo. E a ideia de possuir um terreno, um país. Acabar-se-iam as guerras! — diz e chegado a esse ponto, acrescenta sempre: — Mas, por enquanto, ratinha, continuamos aqui, e quase tudo tem a ver com o dinheiro, portanto, fomos muito sortudos nesse sentido, porque nem sequer podíamos permitir-nos contratar ajuda, de modo que te criámos sozinhos, a cem por cento. Com a ajuda da ginástica, é claro.

Com a ajuda da ginástica, é claro.

Dormia nos escritórios que tinham de limpar e nunca me afastava dos meus pais. Mas, quando comecei a ginástica, impôs-se a ordem, outros adultos começaram a cuidar de mim, ajudando na minha educação. Havia os treinadores. Os médicos. E, apesar de alguns desses adultos serem como Alex, outros preocupavam-se comigo. Agora, havia a equipa, e a minha vida além da nossa casa e da nossa família. Havia a oportunidade de melhorar a minha vida, seja o que for que isso signifique, e de transformar um ginásio num lar.

Sempre gostei da ideia de, ao começar a treinar ginástica, ter aliviado os meus pais do fardo que eu representava. O clube paga todas as minhas viagens e a minha subsistência quando participo em campeonatos ou vou a qualquer outro lado com eles e, além disso, às vezes, contribuem se precisar de um maiô novo ou algo que não podemos comprar, mas que preciso realmente. O clube paga-me os livros de texto, a fisioterapia, os comprimidos e uma parte de mim sente-se tão orgulhosa disso que o transforma num impulso secreto para não desistir.

Desejo ser boa, portanto, sou boa.

Outra vantagem é que, quando estou de viagem, os meus pais dormem no meu quarto, de modo que têm um quarto para eles e não têm de passar as noites no sofá. Às vezes, pergunto-me o que dirão um ao outro quando não estou em casa. Se calhar fazem planos. Ou elaboram listas de sonhos que talvez pareçam mais factíveis quando não estou ali.

Provavelmente, foi por isso que eles também não me fizeram caso quando lhes falei de Alex.

Saímos da cafetaria do hotel, formando uma fila de raparigas bem-educadas. É verdade que somos muito baixas, muito belas e noto-o ainda mais quando passo junto dos empregados ou quando me aproximo de algum dos outros hóspedes do hotel, que devem pensar que parecemos alienígenas. É humilhante ver o mundo daqui de baixo, ao nível do umbigo da maioria das pessoas. É humilhante e, ao mesmo tempo, fascinante, como muitas outras coisas na vida. Morrer de fome para que possam dizer-te que és bonita. Ficar em silêncio para que possam dizer que és forte. Baixar o olhar para que te chamem humilde, agradecida e elegante.

Finalmente, somos livres quando atravessamos o campo branco e ficamos sozinhas. Nós, as ginastas. Nós, as boas raparigas. Ninguém nos dá ordens. Ninguém nos chama nada. E agora sim, somos realmente chamativas, somos realmente um exército. Atravessamos a ponte intoxicadas pelo frio e deixamos para trás a floresta e os lobos que habitam nela. Deixamos para trás todos os nossos pensamentos.

Limitamo-nos a andar e a correr. E a rir-nos.

O pavilhão gimnodesportivo está iluminado. O público está ali, as bancadas estão quase todas cheias. Reconhecemos a sua presença, mas tentamos não nos distrair. Sinto o seu olhar. Ouço os seus sons, os sapatos contra o chão, as rajadas de aplausos, o murmúrio das suas conversas. Sinto a sua emoção, que se transforma na minha emoção. Alguém grita o nome de Angelika. E o de Carla. Ouço os seus batimentos. Depois, os meus.

Sincronizo-os todos.

Para tentar conseguir mais força e concentração, mantenho alguma distância das minhas colegas de equipa enquanto tiram o fato de treino. Ficam com o maiô enquanto eu continuo com o fato de treino, como se estivesse dentro de uma jaula. Vejo que Carla e Nadia repetem a sua rima absurda e leio nos seus lábios as palavras sobre o cocó amarelo. Os juízes estão a reunir-se e vão iluminando os quadros para as pontuações. Concentro-me na silhueta castanha desenhada com lápis de lábios em torno da boca de Rachele e no batom alaranjado com que se pintou. Voltou a usar demasiada quantidade e o resultado é pastoso, como plasticina. Ficarão manchas de batom num ou dois dentes e, quando as vir, sei que perderei um pouco mais de confiança nela, por não ser capaz de prestar atenção a ter os dentes limpos. Portanto, paro de olhar, porque preferia não saber. Pela mesma razão por que nunca mais voltarei a falar-lhe de Alex. Preferia não ter de voltar a ouvir as suas mentiras. E não voltar a desmoronar-me depois no silêncio subsequente.

— Quero que mantenhas a Carla e a Nadia vigiadas — sussurra-me Rachele. — Essas duas fortalecem-se uma à outra, mas também podem debilitar-se mutuamente e sabes muito bem que temos de cuidar umas das outras e, em especial, devemos cuidar da Carla. Está bem?

— Está bem — respondo.

73

Ou talvez não diga nada. Nenhuma de nós se importa com o que dizemos.

— Por favor — prossegue —, se acontecer alguma coisa, vem dizer-me. Se as vires a fazer alguma coisa, não sei, perigosa ou que te pareça perigosa, vem dizer-me.

— Perigosa como o quê?

Como fazer três mortais à retaguarda tentando não morrer? Como ficar a sós com Alex desde que tinha dez anos? Como não comer ou encher-me de comprimidos? Como o quê?

— Não te peço que sejas uma delatora — garante-me Rachele. — Só te peço que me ajudes a controlar a sua, digamos, tranquilidade. Porque a sua tranquilidade é o quê?

— A minha tranquilidade?

— Exato! E, voltando a ti, Marti. Encarrega-te do *Tsukahara*. Com esforço, consegues fazer tudo, meu amor. Lembra-te de sorrir, sobretudo, quando um exercício te correr bem. Tu também podes ser bonita, está bem? Sê a pioneira do teu futuro.

Sinto vontade de vomitar. «Meu amor?» «Tu também podes ser bonita?» Sem dúvida alguma, sinto-me a rapariga mais feia de toda a equipa. Ou de todo este hemisfério. E, além disso, sou a invisível, a melhor educada de todas, obrigada a compartilhar com as duas raparigas mais bonitas e fortes da equipa para poder denunciá-las. Se isto fosse um filme, usaria um aparelho nos dentes e óculos, e teria a cara cheia de acne.

Aperto o queixo e sinto a pressão até aos olhos. Aperto mais e tento senti-la também no crânio. Porquê falar comigo agora, mesmo antes da competição? Rachele devia procurar outro trabalho e ir-se embora para o mais longe possível. Sinto-me esgotada, perdida, até recuperar o fôlego e ser nesse momento que ouço um golpe seco e um murmúrio generalizado entre sussurros.

O silêncio que se produz a seguir é o silêncio do desastre. Sabemos que aconteceu alguma coisa de mal, mesmo antes de o verificar com o olhar. Crescemos com esses golpes secos seguidos de silêncio.

São a nossa banda sonora.

Quando o mundo começa a girar de novo, vejo que os médicos correm para o colchão e também os paramédicos com uma maca. Agacho-me para ver quem está ali caído, no colchão, por baixo das paralelas, porque um golpe seco é sempre o som que um corpo faz ao cair no chão e um murmúrio é sempre o murmúrio da multidão quando um corpo fica inerte. A única coisa que consigo ver é um par de pernas pequenas e uns pés totalmente quietos. Os pés apontam para o teto, sem se mexer, sem tremer, sem nada. Ver uns pés inertes, que não tremem, sem conseguir ver uma cara é pior do que ver o corpo inteiro de uma só vez. As minhas colegas de equipa levaram as mãos à boca. Algumas estão aterrorizadas, outras parecem prestes a rir-se. Devem ser os nervos.

Rachele diz-nos que nos sentemos e estejamos quietas e caladas, de modo que fazemos isso. Soldados de brinquedo, boas raparigas, estamos quietinhas e em silêncio.

— Que desgraça — murmura Nadia.

— Não sabes o que aconteceu — responde-lhe Carla. — Talvez seja a Angelika. Vamos ver se a libelinha acabou esmagada.

— Não brinques.

— Não queres que seja feliz, Nadia?

Nadia olha para Carla. Acho que está a imaginar Angelika sem vida no colchão ou fora de combate, talvez paralítica. Já vimos que essas coisas acontecem, não seria a primeira vez, nem será a última. Talvez Nadia já esteja a ver esta sequência publicada no YouTube. Com mil visualizações, muitíssimos comentários, de polegares para cima e polegares para baixo.

Nadia começa a respirar com tanta dificuldade que me dá a impressão de que vai desmaiar.

Carla aperta-lhe a mão e acaricia-a. Acaricia-lhe o dorso e depois vira-a e também lhe acaricia a palma. Suponho que queira que sinta dois tipos diferentes de carícias. Depois, faz uma careta e apoia a cabeça no ombro de Nadia e adota uma expressão de doçura enquanto lhe sussurra que não deviam brincar com a possibilidade de Angelika ter morrido ou sofrido uma lesão grave. Carla tem o cabelo apanhado num coque apertado amarelo como o mel. Tem sombra de olhos azul nas pálpebras e, com as suas mãos minúsculas de unhas pintadas, continua a acariciar Nadia enquanto repete as palavras *coma* e *paralisia* e diz: «Olhos que não veem, pernas que não sentem».

Nadia está pálida. Como uma atriz de um drama de época, uma protagonista de uma história romântica ambientada no século dezoito ou talvez no dezassete, que passa a segunda metade do filme a tossir, apenas para nos indicar que vai morrer. Coisa que, é claro, acontece no fim, de tuberculose ou uma coisa dessas.

— Estás a tremer — diz-lhe Carla.

— Não é verdade — responde. — Estou bem.

— Falemos do Karl — sugere Carla. — Beijá-lo-emos para que consigas esquecer-te de como é baixo.

— Por favor — murmura Nadia. — Deixa-me em paz.

A multidão afasta-se, levam a maca e, estendida em cima, como uma boneca de trapos, está uma ginasta polaca minúscula. Não me lembro de a ter visto antes. Agora, vê-la-ei para sempre nos meus sonhos.

Os adultos continuam a falar entre eles enquanto se afastam e levam a rapariga com um colarinho. Ninguém nos dirá nada, pelo menos, até ao fim do dia. De maneira que tiro o fato de treino e começo a aquecer. Sei que é o que devemos fazer. Trabalhar. E, muito no fundo, todas nos sentimos aliviadas porque, como Nadia bem nos ensinou, as estatísticas de um potencial desastre estão agora do nosso lado. Uma das raparigas já se magoou, puseram uma maca no ginásio e isso, imediatamente, faz com que nós estejamos mais seguras.

Mas, juntamente com esse alívio, também vem a culpa.

— É uma pena, mas não podemos fazer nada em relação a isso — declara Rachele. — Vamos começar a trabalhar.

— Não se preocupem, raparigas — diz-nos Alex. E o «S» de *raparigas*, na minha cabeça, transforma-se numa serpente escorregadia e viscosa. Mato-a com um pau. Cozinho-a e como-a.

Os juízes ocupam os seus lugares. Rachele diz as mil coisas de sempre e explica-nos a ordem da competição. Estou prestes a olhar para os dentes dela para ver se estão manchados de batom, mas consigo não olhar. Nadia é a primeira e dizemos-lhe: «Parte uma perna». Ao dizê-lo, penso nas nossas pernas partidas e, de repente, aparecem de novo na minha cabeça os lobos que habitam na floresta. Poderia aprender a conviver com eles lá fora? Proteger-me-iam e matariam por mim? Imagino a gruta onde me abrigaria, com uma fogueira, a dormir placidamente perto dos animais. Sei que costumam caçar as suas presas com a alcateia e, de certo modo, eu também estou acostumada a andar com a alcateia, com a minha equipa.

— Sê uma boa rapariga — diz Rachele a Nadia. — Sê forte.

— Quero-te nua no meio do praticável se te classificares entre as dez primeiras na final geral — sussurra-lhe Carla.

— Cala-te, idiota.

Mas sei que Carla a ajuda quando faz isto, porque assim Nadia distrai-se e esquece-se por um instante dos seus demónios e dos seus monstros. De facto, desde esse instante, transformamo-nos num exército, na manada de caçadoras que podemos ser.

As palavras de Carla funcionam melhor do que as de Rachele. Também o seu talento.

Quando corre para fazer qualquer salto, é como se corrêssemos todas com ela. Seguimos a sua beleza e o seu ritmo acelerado nas paralelas assimétricas e celebramos a sua perfeição na trave olímpica. Quando passamos para os exercícios de solo, graças à sua energia, que se transforma na nossa energia, somos todas incríveis. Estamos concentradas. Somos uma equipa. Apesar da fraqueza geral de Benedetta e do rendimento médio de Anna, estamos perto de alcançar uma pontuação de cento e sessenta pontos que nos deixará entre as dez primeiras equipas. Eu saio-me bem nas paralelas, Carla é a estrela do evento e Nadia mostra-se forte, segura de si mesma, quando começa os seus últimos exercícios de solo. Depois de executar o duplo *twist* encarpado, seguido de um *pivot* e de um salto *enjambé*, além de um maravilhoso salto encarpado para a frente, cumprimenta o júri, orgulhosa de toda a beleza e precisão que é capaz de alcançar. Arqueia as costas enquanto cumprimenta e o seu sorriso humilde ilumina todo o praticável. O público responde com um aplauso ensurdecedor. Carla assente a modo de reconhecimento.

— Amo-te — diz a Nadia.

— Eu também te amo — responde Nadia.

Chega a minha vez dos exercícios de solo e tenho de tocar no nariz várias vezes antes da minha sequência, mas ninguém percebe. Quando começa a música, a memória dos músculos reage antes da da mente. Começo com uma sequência acrobática e mostro-me rápida nos saltos, nas voltas, com a postura correta. Contraio o rabo, ponho a barriga para dentro. Faço a receção ao solo perfeitamente na minha terceira série. A minha receção é limpa, tal como os meus elementos de ligação, depois procedo com um duplo mortal seguido de uma receção com encarpado.

Dá-me a impressão de que talvez a Roménia já me tenha transformado numa vencedora.

Na minha última série, também me atrevo a pensar na reação da equipa quando forem testemunhas da minha elegância inata e é exatamente esse o momento em que perco o controlo e toda a minha elegância. Lanço-me para fazer uma pirueta frontal, depois uma rondada trémula e depois um triplo salto, antes de perder a postura corporal. Depois da pirueta e de um novo salto, faço a receção ao solo com os pés afastados e dou dois passos a mais.

Cumprimento o júri e depois olho para Rachele nos olhos. O seu sorriso não parece sincero. Não quero ver se Alex sorri ou não.

Passamos para a mesa de saltos e Carla é a primeira. Durante os seus noventa segundos mágicos que duram uma hora, ou talvez uma vida inteira, esquecem-se de mim. Não precisam de mim. E, quando Carla hipnotiza ao público, o tempo e o espaço expandem-se em sua honra e tudo e todos ficam no esquecimento. Quando acaba a sua rotina e cumprimenta todos os universos conhecidos e desconhecidos, estou convencida de que vai começar a cair purpurina do teto.

Tentando aproveitar parte da purpurina mágica de Carla, corro para a mesa de saltos, embora volte a perder a postura. Talvez a sua mãe tenha razão. Talvez Deus exista e Carla seja uma das eleitas.

Nadia, Benedetta e Anna fazem uns exercícios aceitáveis na mesa de saltos, depois esperamos junto do nosso banco enquanto somam os últimos pontos, bebendo água, relaxando os ombros e as pernas. Puxo o fecho do fato de treino para cima e para baixo, examino mentalmente todos os meus erros e começo a descontar dezenas e centenas de pontos do sucesso global da equipa.

— Foda-se, Martina, quase deitaste tudo a perder — acusa-me Carla. — Graças a Deus que não precisávamos de ti.

— Para — reprova-a Nadia. — Não podemos fazer isso.

— Bom trabalho, raparigas — diz Rachele, quando Carla obtém 15,66, Nadia obtém um 14,77 e eu um 13,66.

As Inúteis conseguem 14, mas, em geral, apesar de mim, a equipa fê-lo bastante bem e levámos para casa um contundente 168,40. Estamos dentro, isso é certo.

Portanto, sorrimos. Também nos abraçamos.

Estudamos as pontuações das equipas que conseguiram passar para a fase seguinte e vemos que as gregas e as portuguesas estão a chorar. Já fomos essas raparigas antes. Reparamos no sucesso das romenas e das chinesas e tentamos digeri-lo. Também já fomos essas raparigas. Reconhecemos as pontuações médias do clube espanhol e continuamos a nossa vida.

— Esta noite, podem comer carboidratos — diz-nos Rachele. — Merecem.

— Foram incríveis — acrescenta Alex.

Como de costume, tentamos cancelar a sua voz do espetro de sons do mundo, como o som das bombas ou dos carros a chocar, enquanto ele fala e fala, comentando até ao último detalhe das provas classificatórias do dia.

— Porque não se cala? — ouço Nadia a dizer. — É que nunca se cala.

Viro-me e olho para ela. É a primeira vez que a ouço a dizer alguma coisa sobre Alex em voz alta à frente da equipa. Dá mais medo do que pensava.

Quando saímos do ginásio às sete, as montanhas que rodeiam o estacionamento do hotel do tempo da guerra estão cobertas de neve. Olho para o céu e os olhos enchem-se de flocos de neve. Transformam-se em lágrimas gélidas, cristais em vez de gotas, portanto, quando ninguém olha para mim, deito a língua de fora e aguardo esse formigueiro minúsculo, frio e mágico.

«Graças a Deus que não precisávamos de ti», ouço de novo na minha cabeça.

Saem todas a correr e a gritar, sentindo como a neve se compacta sob as suas botas. Mas eu estou prestes a chorar e todas percebem.

— Um corpo, um coração, Martina! — grita Carla. — Amanhã, serás incrível, desculpa-me pelo que disse antes. Amo-vos, raparigas.

E, quando o diz, sabemos que temos de nos abraçar todas. É a regra. Se Carla fizer as pazes, tu fazes as pazes. De modo que o fazemos, abraçamo-nos e voltamos a ser um só corpo, apertadas, com as faces coladas, os braços entrelaçados, junto da floresta vasta e escura.

— Diz.

— Amanhã, serei incrível — repito. E cravo as unhas com força nas palmas das mãos.

Amanhã, serei fantástica e esta noite podemos comer não só carboidratos, mas também sair do hotel como recompensa, para ver um mundo sem salas com alcatifa, sem quadros de pontuação, para deixar de pensar em quedas e pernas partidas, que a vida da rapariga polaca poderia mudar hoje para sempre, e pensar mais no que costumam pensar as raparigas da nossa idade. Não sei muito bem o que seria isso, mas, conforme parece, significa ir a um centro comercial. É a melhor noite de folga que nos oferecem em meses. Eu diria que até em anos, se não parecesse demasiado patético.

Tomamos banho, arranjamo-nos e enchemo-nos de maquilhagem. Entramos no *minibus* e vamos à vila. Deixamos para trás as montanhas, o rio, um parque aquático fechado, o som do vento quando circula entre as árvores da floresta. O centro da vila está limpo e parece-me medieval. Ou talvez seja de outra época, sei lá.

À nossa volta passam os elétricos e fazem o mesmo barulho do que os que temos em casa. Algumas das ruas dos subúrbios são bastante largas, com edifícios anódinos e repetitivos, e eu adoro essa repetição e adoro colar a testa ao vidro frio da janela, ouvindo música a todo o volume pelos auscultadores, ignorando o resto das raparigas. Meço os edifícios, estudo cada um deles e comparo a cor dos candeeiros romenos com os que vejo depois do treino quando volto para casa de autocarro.

Olho para as suas estrelas. Olho para a sua lua.

Quando for maior, poderia viajar e não fazer outra coisa. Teria de ver uma forma de ganhar dinheiro e talvez esta ideia seja melhor do que a do ginásio. A verdade é que não quero filhos, nem marido. Nem trabalhar com a minha mãe. Preferia, sem dúvida, apoiar a testa contra o vidro frio de janelas em cidades que não conheço. Estudar os seus edifícios. As suas estrelas. A sua lua. Ouvir línguas estrangeiras, transformá-las em sons familiares, transformar esquinas estrangeiras em esquinas familiares. Preferia perder-me, desaparecer, evaporar-me, em vez de ter de ser sempre eu. E, se tiver de continuar a ser eu, pelo menos, preferia poder mudar o cenário de fundo.

— Onde estás, ratinha, querida? — perguntar-me-ia a minha mãe ao telefone e a sua voz pareceria muito longínqua. E, de tão longe, os seus gritos doeriam menos.

— Acabei de chegar a África — diria.

— Não estavas no Alasca?

— Estava. Agora, estou no Senegal.

— A neve faz com que a Roménia pareça menos nojenta — comenta Carla, portanto, cancelo a sua voz aumentando ainda mais o volume da minha música. Também porque, de facto, a Roménia é impressionante. Sendo pobre, mas com música, aqui na

Roménia impressionante, digo a mim própria que não se está nada mal. Pelo contrário, ser pobre em minha casa, sem música, é algo muito pior.

Hoje mesmo, entrevistaram a Carla para a revista *Federation*, posou para as fotografias e fez músculo imitando o Popeye, como faz sempre. Nós estávamos atrás, sorridentes. Nadia deu-lhe um beijo e disse-lhe que tinha atitude de rainha.

— Rainha dos cães, queres dizer? — perguntou-lhe Carla.

— Já estou farta dos cães — respondeu Nadia.

— E o que se passou com o teu coque?

— O meu coque?

— Está um desastre. Suado e sujo. Fá-lo melhor.

Imediatamente, Nadia arranjou o cabelo, que não estava nenhum desastre, e apertou o coque com mais força, tentando melhorar. Enquanto o puxava, empinou o rabo, como se, ao puxar o cabelo, a sua pélvis fosse empurrada para fora.

— Claro, assim está muito melhor. Agora, estás bonita como só tu consegues estar — disse-lhe Carla. — A propósito, o fotógrafo era um cão asqueroso. Vi como olhava para mim. Tenho a certeza de que não poderá descarregar as fotografias porque estará todo suado e excitado, e porque Deus o castigará por olhar para mim como um porco pedófilo. Sabiam que, como somos mais baixinhas, os pedófilos nos acham mais atraentes?

Todas olhamos para ela, incapazes de acrescentar alguma coisa. Escolheu este método para tentar ser valente. Para tentar fazer com que não doa e transformá-lo numa piada. Mas sabemos que lhe dói de qualquer forma.

O *minibus* estaciona à frente do centro comercial, que é tal como os nossos. As mesmas marcas, os mesmos anúncios de comida, as mesmas luzes de néon. O mesmo cheiro a batatas fritas e iogurte gelado de baunilha. Sinto-me como em casa e, ao perceber isso, também me sinto triste. Rachele diz-nos que podemos separar-nos como quisermos, ir onde quisermos, desde que voltemos a encontrar-nos «mesmo dentro de uma hora e meia por baixo deste grande «M», entendido?». Não podemos evitar levantar o olhar para o grande «M». Todas pensarão na palavra *mãe*? Deixo as outras para trás, envio uma mensagem à minha mãe dizendo-lhe que o primeiro dia de competição correu muitíssimo bem e que agora saímos para comer qualquer coisa. Escrevo-lhe que está muito frio aqui, mas que gosto e que a amo.

Ela liga-me passado um segundo e meio.

— Ratinha, querida, como estás? — pergunta-me, assim que atendo. — Não estás muito cansada? Como te sentes? Tens frio? Não te constipes. Puseste o gorro?

— Estou bem. Mas deram-me um 13,10 — digo-lhe.

Não estou de bom humor para falar com ela. Só lhe escrevi «amo-te», coisa que nunca diria em voz alta. E agora não para de me fazer perguntas, obrigando-me a ouvir a sua voz e as suas palavras confusas. Deixo que fale, mas receio impacientar-me, como me acontece em casa. Ou, pior ainda, receio que desate a chorar por alguma razão sem importância, por algo que lhe diga ou que não lhe diga. Então, sentir-me-ia culpada e voltaríamos à casinha da partida. Teria medo da sua tristeza, que também é a minha tristeza. Seria consciente da minha culpa, o que, de novo, alimentaria a sua tristeza. A tristeza do meu pai e dela devorar-nos-á a todos, em especial a mim, embora não paremos de dizer que somos felizes.

É quarta-feira e já terá o cabelo gorduroso.

— Com quem partilhas o quarto? Como é a comida? Está frio no hotel? — pergunta-me, como se não conseguisse parar de me interrogar.

84

Não sei a qual responder, de modo que digo:

— Está tudo bem.

E, então, começa a dar-me instruções:

— Tem cuidado, não te canses demasiado, pensa em mim, não tenhas muitas saudades, alegra-te por estares longe de nós.

— Ver-nos-emos em breve — garanto-lhe.

Respiro fundo e inalo, na medida do possível, este ar que tresanda a batatas fritas, pensando na vez em que lhes falei de Alex e eles também não foram capazes de me salvar. Suponho que não quisessem que o clube se zangasse. E suponho que as palavras de Rachele e de Alex tenham sido mais convincentes do que as minhas. Talvez tenham acreditado realmente nesse vídeo de merda sobre os motivos médicos. Ou talvez fossem demasiado fracos, tal como eu. Mesmo assim, fico contente por poderem usar a minha cama quando não estou. E por, dessa cama, a minha mãe poder dar-me instruções para que não me canse demasiado quando estou de viagem.

— Está bem. Não me cansarei — respondo-lhe. — Está bem, porei o gorro.

Inspiro um pouco mais, com a esperança de que uma tempestade eletromagnética entre a nossa casa e o distrito de Sibiu faça com que a linha caia. Enquanto vou contando os segundos que faltam para que se me esgote a paciência, vejo que Nadia e Carla entram numa loja de *lingerie*. Aproximo-me um pouco mais e espio-as através da montra, enquanto a minha mãe continua a falar sobre a vida, dizendo que é feliz, mas também infeliz, sobre o meu pai, que continua sem encontrar trabalho, embora tê-lo em casa «também seja bom». Depois, começa a queixar-se do cabelo que encontra no chão do cabeleireiro, mas, como de costume, acrescenta que não devia queixar-se porque, mesmo que não sejamos muito sortudos, também não andamos descalços na rua.

— Somos afortunados mesmo quando somos desafortunados — digo-lhe, repetindo outra das suas frases favoritas.

— Bravo! Porque nos amamos.

— Tenho de desligar, mamã, isto é muito caro, não é? Falar a longa distância, quero dizer.

— Está bem. Agora, vamos jantar piza.

— Eu também, talvez.

— Assim, poderemos sentir-nos mais perto — diz-me.

É a frase mais triste da história. A minha fome desaparece por completo, que regra geral é a fome do mundo inteiro, portanto, é enorme. Evapora-se imediatamente a pouca alegria que me causava a ideia de estar num centro comercial. Sinto pena de mim mesma. Sinto pena dos meus pais. Ninguém neste mundo pensa neles, ninguém precisa deles. Substituíveis em qualquer um dos seus empregos, em todas as coisas que dizem ou fazem, como seres humanos e como mãe e pai. Fracos, sozinhos. Surdos.

— Portanto, quando estiveres a comer a tua piza, certifica-te de que pensas em nós! — diz-me e percebo o sorriso na sua voz. — Pensa em nós aqui, nesta casinha de ratinhos.

Nadia afasta a cortina do provador e, através da montra, vejo-a vestida com um sutiã com morangos estampados. Não tem mamas, portanto, as copas estão vazias, como um bolso. Poderia guardar coisas nesse espaço vazio. Pedras? Dinheiro? Talvez uma pistola muito pequena. Carla está de pé à frente dela, a conversar e a pôr alguma coisa na mala. Provavelmente, está a roubar umas cuecas. É algo azul e também não é estranho vê-la a roubar. Não é nada que não a tenha visto a fazer em lojas e provadores ao longo dos últimos sete anos. Uma vez, roubou uma lâmpada de um ginásio do tamanho de uma melancia.

— Atirei-a para o contentor do lixo — contou-nos, no dia

seguinte. Naquele dia, também acabou com uma medalha de ouro pendurada ao pescoço.

Lembro-me de uma festa de aniversário em casa de Nadia, há uns dois anos, quando experimentaram os vestidos da sua mãe e saíram do quarto para que as outras as admirassem, vestidas com sutiãs e cuecas de renda, colares, e a cara borrada com batom vermelho. Carla explicou-nos que a mãe de Nadia tinha muitos namorados e Nadia riu-se e comentou: «Ontem conheci outro novo». Na altura, disse-o de uma forma tão divertida que senti inveja de a sua mãe parecer tão livre e aventureira.

— Não te incomoda? — perguntou-lhe Anna.

— Claro que não. Quero que seja feliz.

Afasto-me da montra e do sutiã com morangos de Nadia. Vejo Benedetta e Anna a entrar na farmácia, depois na loja de maquilhagem. Subo por todas as escadas rolantes que encontro, entro no elevador até ao oitavo andar e depois desço para o quarto e, a seguir, para o terceiro. Faço-o dez vezes. Depois, outras dez. Não faço outra coisa senão pensar em como me saí mal hoje. E no golpe seco da rapariga polaca ao cair no colchão.

Não entro em nenhuma loja, nem em nenhum dos cafés. Deixo que passe o tempo enquanto me obrigo a não reparar na roupa, nem na comida, nem nas pessoas, nem em nada. Transformo-o no meu castigo e na minha aposta. Não comerei, não comprarei, não falarei. Não desejarei nada. Se resistir, isso também me tornará mais forte. Se resistir, amanhã serei incrível nas provas classificatórias individuais. E chegarei à final geral de domingo. Se resistir, sobreviverei a toda esta dor e serei a pioneira do meu futuro.

Depois de passar duas horas a subir e a descer como a pioneira do meu futuro, estou cansada e volto a encontrar-me com a equipa.

Todas compraram alguma coisa e têm copos de *bubble tea*. Estão de muito bom humor. Ou é o que querem aparentar.

— Comi uma piza — explico, embora ninguém me tenha perguntado. Mas é o que quero aparentar.

No caminho de regresso para o estacionamento, ouço que Rachele está a elogiar-nos, as suas boas raparigas, e garante estar muito orgulhosa. Também diz que somos lindas. Pelo contrário, nós não estamos orgulhosas de Rachele e, além disso, não é linda, portanto, não dizemos nada. Alex, que anda junto dela, parece estar bêbado. Também não estamos muito orgulhosas dele.

— Todas contentes, raparigas? — pergunta.

Pergunto-me porque as suas perguntas têm de ser tão asquerosas e tão absurdas. Ou, já que falamos disso, porque têm de existir. É um homem silencioso, portanto, poderia ser fiel a isso e fechar a boca da merda de uma vez. Um monstro silencioso seria muito menos nauseabundo do que um monstro que não para de dizer tolices num estacionamento romeno.

Lembro-me de lhe pedir para, por favor, parar. Lembro-me da sua cara quando me disse: «Dá-me só mais um segundo». Também não fechou a boca então. Queria mais um segundo, e queria que o ouvisse a respirar, e que me sentisse muito consciente de que o ritmo da sua respiração tinha mudado.

— Todas contentes? — repete.

— Não enquanto estiveres vivo — murmura Nadia.

Volto a olhar para ela. Ela sorri e encolhe os ombros.

— Muito contentes — responde Carla, com sarcasmo.

Riem-se e dão as mãos. Vejo os morangos do sutiã de Nadia a apodrecer. Cheiram como o homem que estava sentado ao meu lado no avião a caminho daqui.

— Porque é que depois não vamos tentar descobrir qual é o

quarto do Karl? — sussurra Nadia. — Não pode ser assim tão difícil.

— Feito. Iremos quando todos os outros estiverem a dormir — responde Carla.

Pergunto-me se deveria contar a Rachele, proteger o seu corpo, que também é o meu corpo. Proteger as suas horas de sono, que suponho que também sejam as minhas. Olho para Carla e para Nadia, para as suas mãos agarradas com força, depois viro-me e levanto o olhar para o céu.

— Esta noite é a nossa noite — repete Carla.

Eu inalo toda esta escuridão e todo este frio. Esta é a nossa noite? Fico a olhar para o vazio, para a lua, para os milhões de flocos de neve e a sentir-me faminta como um lobo. Oxalá tivesse comido essa piza. Ando mais depressa para não pensar nisso. Avanço para o autocarro e tento voltar a ficar a sós.

— Não podes passar a vida a fugir, Marti — diz-me Nadia, entre gargalhadas. — Ao fim e ao cabo, não há para onde ir.

QUINTA-FEIRA

Ouço um grito amortecido. Tento submergir-me no sono, mas o barulho não cessa. Abro os olhos. Lá fora, a lua é tão brilhante que a sua luz entra no quarto. Vejo a Carla a segurar a cara de Nadia contra o colchão, a afundar-lhe as mãos no pescoço. Nadia tenta respirar fundo e quase consegue libertar-se.

— Vou matar-te, puta — resmunga Nadia. — Para.

— És tu que tens de parar — responde Carla. — Se tu me magoares, eu magoo-te.

— Parar o quê?

— Parar de o desejar.

Portanto, trata-se de Karl. Fecho os olhos e tento desligar. Dentro de pouco, estarão a rir-se como se nada fosse. Na minha mente, digo o meu nome duas vezes, toco na ponta do nariz duas vezes, sustenho a respiração e conto até trinta. Até sessenta. Até cem. Porque é que Rachele me terá imposto a penitência de partilhar o quarto com estas duas? Faço os meus movimentos em silêncio; tocar no lençol, na testa, depois no lençol e na testa ao mesmo tempo; duas vezes, depois outras duas e outras duas. A repetição funciona e vai acalmando o meu coração.

Mesmo quando estou a adormecer, ouço que Nadia volta a tentar respirar fundo. Endireito-me. Tenho de me recordar que existo e tenho de lho recordar também. Que oiço tudo — tudo, sempre — e contar não é suficiente porque isso não me permitirá desaparecer. Se tivesse esse poder, já teria desaparecido, não é assim? Já me teria livrado de Alex. De Rachele. E provavelmente da minha vida inteira. Mas a questão é que continuo aqui.

— O que está a acontecer? — pergunto. — Nadia, estás bem?

— Mete-te nos teus malditos assuntos — responde Carla. — Como te atreves a dirigir-nos a palavra?

Tenho o coração prestes a explodir, suam-me as mãos. Tenho a cabeça cheia de coisas, de palavras e ruídos, golpes secos e sussurros que não desejo, nem preciso, nem compreendo.

— Sim, Martina — intervém Nadia. — Vai-te foder. Volta a dormir.

«Não», penso eu. Não e não, duas vezes. Não e não, para sempre.

— Que se fodam vocês — ouço-me a dizer. — Parem. Calem a boca.

Um silêncio invade o quarto como um desfiladeiro, tão profundo, tão gigante, que poderíamos cair nele. Até a lua parece menos brilhante. Se calhar, a minha raiva obscurece tudo, em todo o lado. Se calhar, enquanto estou na Roménia, a Roménia também escurece.

— Que se fodam — repito, com mais força desta vez.

Suponho que seja provável que tentem matar-me. Acabarei morta e assunto resolvido. Morrerei com o meu pijama estúpido vestido e alguém encontrará o meu corpo com o seu cabelo vermelho absurdo, enquanto eu não terei conseguido nada na vida. Não serei a dona de um ginásio pintado em tons púrpura. Nunca terei estado na América, na Índia ou em África. Nunca acordarei sob uma monção torrencial em Banguecoque. Nem executarei perfeitamente um *Yurchenko* 2.5. Morrerei tão inutilmente como vivi, enquanto ainda não consigo sair-me bem na trave olímpica.

— Ena — sussurra Carla.

— Incrível — adiciona Nadia.

Apercebo-me de que poderia acontecer-me algo pior do que a morte. As raparigas poderiam decidir partir-me o braço ou o joelho, e costurar-me a boca para evitar que fale. Por um instante, recordo o dia em que Carla e Nadia agarraram a Anna no meio do balneário e a puseram aos empurrões nos duches comuns. Carla tinha acusado a Anna de a criticar à frente do resto da equipa. Temos de reconhecer que Anna tinha dito que Carla era uma abusadora. Tinha razão e só tentava ser valente, confessar. Carla, com efeito, é uma abusadora. Mas, numa equipa, não deveríamos confessar, deveríamos resistir, tornar-nos mais fortes, esquecer. Ficar em silêncio. E naquele dia também aprendemos essa lição.

— Achavas mesmo que não descobriria? — perguntou-lhe Carla. — Ou que alguém ia acreditar em ti e não em mim? Tens de te comportar.

Eu olhei para a boca de Carla, mas, na minha cabeça, ouvi a voz de Alex. Eram as mesmas palavras que ele usara com ela? Comportava-se de acordo com isso.

— Tens de ser uma boa rapariga — continuou Carla. — Não podes andar por aí a destruir a equipa e a mim.

Nua por baixo do jorro de água gelada, Anna pediu desculpa enquanto Carla lhe punha champô na boca, apertando o frasco como se fosse molho, garganta abaixo.

Quando lhe disse «Carla, para», fi-lo em voz baixa, porque tinha medo.

De um modo ou de outro, ela não se alterou e continuou a encher o cabelo de Anna de champô, esfregando com força, com a água gelada, e dizendo-lhe quão nojento era o cabelo dela e perguntando-lhe como não tinha vergonha de andar por aí com o cabelo tão imundo, com uma cara tão vergonhosa e uma alma tão desleal. Mas, então, a sua voz sofreu uma mudança e a sua raiva pareceu-me feroz e adorável ao mesmo tempo. Era a voz mais doce que alguma vez ouvira.

— Vou encarregar-me disso e assim estarás apresentável, está bem?

— Está bem — respondeu Anna. — Obrigada pela tua ajuda.

— É o meu dever. Além de um prazer.

Chorei por não ter podido parar a Carla. Chorei porque Anna agradecera o seu castigo. E porque Nadia não demonstrara desconforto algum como testemunha da dor e do medo de Anna.

— Lamento muito que a tua mãe não te ame porque és feia — disse-lhe Carla. — E lamento muito que prefira os seus caniches a ti porque têm o pelo muito mais suave do que tu. Não é culpa tua, está bem?

— Sim — concordou Anna. — Tens razão.

— Também te ajudarei com essa ausência de amor — disse-lhe Carla, com a voz ainda mais amável. — Amo-te. Todas te amamos. Se o desejares, matarei os seus cães por ti.

— Obrigada, mas não — respondeu Anna. — Podem viver.

— Bom, se mudares de opinião, diz-me — resolveu Carla, que era toda amabilidade e ternura.

Deu a mão a Anna e levou-a de volta ao balneário, onde lhe secou o corpo e o cabelo como se fosse uma mãe protetora, uma amiga preocupada, uma colega de equipa serviçal. Abraçaram-se.

Naquele dia, regressei a casa e perguntei novamente se podia deixar a equipa e treinar com outro treinador e noutro clube. Mas os meus pais, cansados e fracos, repetiram o seu mantra dos cansados e dos fracos, e disseram que era demasiado complicado, absurdo e inesperado, e perguntaram-me se seria um problema tão grave se ficasse onde estava. A sua expressão era a daqueles que não sabem nada. Não suportava olhar para eles. Disse que não com a cabeça e puxei o fecho do fato de treino duas vezes.

Não era um problema assim tão grave.

Hoje, na Roménia, suponho que volte a dizer que não com a cabeça. E, de novo, faço o rabo-de-cavalo duas vezes.

— Que se fodam — repito, com mais força desta vez. — Que se fodam!

A Roménia fica petrificada, os lobos olham todos para este lado da floresta, espantados com a minha valentia. O mundo inteiro olha para este lado da floresta, espantado com a minha valentia. Da sua cama de casal, as raparigas também ficam a olhar para mim. E, decorrido o silêncio mais longo e vazio da história, ouço que se riem. Riem-se às gargalhadas, como se acabasse de lhes contar uma piada muito engraçada. Com o som das suas gargalhadas, a Roménia volta a respirar e a mexer-se, e os lobos continuam as suas vidas, tentando saciar a sua fome, como alcateia. A comer outros animais. Tentando que os outros não os comam a eles.

— Bem feito, Martina — diz-me Carla. — Impressionante. Seria bom se usasses essa energia na mesa de saltos.

— Sim — concorda Nadia. — Utiliza-a para o *Tsukahara*. Gostamos de ti, guerreira.

— Mas agora — acrescenta Carla, com voz cortante —, volta a dormir e deixa-nos em paz da merda de uma vez.

Volto a deitar-me sentindo-me orgulhosa. Mas também triste por estar orgulhosa de um «que se fodam». Tento acalmar os meus batimentos e livrar-me da adrenalina que me embarga os músculos. É tóxico: o quarto, Carla, Nadia, a necessidade de cuspir veneno para poder salvar-me. Conto durante cinco, seis minutos, segundo a segundo, e cada vez respiro melhor, a minha respiração afasta-me daqui, leva-me para milhões de anos-luz de distância. Continuo a ouvir a Carla e a Nadia a sussurrar, continuo a ouvir o som do edredão, então, oiço-as a beijar-se. Na minha confusão, imagino as suas línguas compridíssimas e os seus corpos infantis nus sob a neve. Aninho-me nesse beijo. E assim, aninhada, durmo.

Quando volto a abrir os olhos, ainda é de noite e a sua cama está vazia. Levanto-me e apalpo o seu edredão para ver se não continuam lá debaixo. Procuro na casa de banho, no armário. Na cabeça, ouço a voz de Rachele a pedir-me ajuda. Então, ouço a minha própria voz a pedir-lhe ajuda. Um corpo, um coração.

Visto o fato de treino e o casaco de penas, abro a porta e espreito para o corredor. Está vazio e, nesse corredor vazio, vejo o meu futuro a implodir. Este segundo que passo aqui fora, e a interrupção do sono, põem em risco o meu rendimento. A minha concentração para a prova individual irá à merda, o meu futuro numa equipa nacional também irá à merda. Passei anos a trabalhar para estar aqui e não estou a dormir tudo o que preciso e, além disso, não estou a pensar nas coisas em que devia estar a pensar. Estou a andar por um hotel a meio da noite, no topo de uma montanha, por causa de duas imbecis mesquinhas e egoístas. Não paro de me repetir que o faço por Rachele, pela equipa. Por mim mesma. Que é o meu dever cuidar de Carla e de Nadia para que possamos todas empreender o caminho para a glória. Para que possamos todas estar a salvo.

Saio para o corredor. Está tão silencioso que consigo ouvir o zumbido do elevador. Enquanto desço pelas escadas de serviço, invade-me o medo ao pensar em encontrar Rachele e algum dos seus amantes. Talvez Carla tenha razão e Rachele dedique as noites a assuntos pornográficos. Não vejo ninguém e, quando chego à receção, abro a porta que dá para a floresta. Terão saído lá para fora? Será uma das apostas de Carla? Lá fora, está escuro e faz muitíssimo frio, no mínimo menos um milhão de graus. Vejo as suas pegadas na neve. Afundo os meus pés nelas, um atrás do outro, e sinto que tenho o coração prestes a explodir.

Ouço um uivo e rezo para que seja o vento e não um lobo.

— Sei que disse que queria viver convosco, rapazes — digo, em direção à floresta —, mas talvez esta noite não.

A ponte que leva ao ginásio parece muito mais longe do que esta manhã. Começo a correr, mas não paro de me afundar na neve e sinto que vão congelando as mãos, a cara e os dedos dos pés. Daqui, o pavilhão gimnodesportivo parece uma cidade de ficção científica onde as regras da vida são diferentes, mais duras. E secretas. Continuo a andar e vejo-me a cair da mesa de saltos amanhã de manhã, depois a escorregar nos banzos das paralelas porque magoei as mãos com o frio e com as minhas más decisões. Nunca me tinha sentido tão longe das Olimpíadas como esta noite. Vejo-me morta junto das paralelas assimétricas. E depois morta nesta escuridão.

Corro mais e sei que devia virar-me e regressar ao hotel, deitar-me por baixo do edredão. Em vez disso, continuo a correr até chegar ao pavilhão gimnodesportivo e entrar pela porta aberta, onde o calor me recebe e o teto parece proteger-me. Ouço sons distantes procedentes de dentro. Aproximo-me em bicos de pés, tentando respirar sem fazer barulho, como uma espiã. Empurro uma porta e aproximo meio olho e meio nariz da fresta minúscula. Mas lá dentro está tudo apagado, as paralelas assimétricas estão vazias e as argolas pendem inertes. Por um instante, penso em entrar e praticar a minha sequência, o pino, as pegas. Poderia fazer todos os movimentos a cantar ou a gritar, sem que ninguém olhasse para mim, sem julgamentos, sem pontuações. Recordar o meu sonho. A razão por que estou aqui.

Ouço um barulho e viro a cabeça nessa direção. Vejo que Nadia e Carla estão no canto mais afastado, deitadas na trave olímpica, uma em cima da outra. É como se ali não houvesse gravidade, como se não pesassem nada e fossem livres. São um só corpo e esse corpo parece forte e indestrutível. Então, distingo Karl.

Os três riem-se quando o vejo a aproximar-se do praticável. Começa a fazer uma pirueta, imitando primeiro a sequência de solo de Nadia, antes de começar a executar a de Carla. Não consigo acreditar na sua precisão; sabe as suas coreografias quase de cor. Nadia ri-se e aplaude a técnica quase perfeita de Karl, mas então para quando Carla se afasta dela e vai para o colchão. Ali, adota a posição de pino ponte e sobe para cima de Karl. Ele toca-lhe nos braços, nos ombros. Ambas as raparigas se penduram nas paralelas assimétricas, uma ao lado da outra, com as suas coxas a tocar-se. Karl levanta-se do chão e aproxima-se delas. Carla e Nadia fecham os olhos enquanto ele lhes acaricia as pernas e vai subindo com as mãos até aos maiôs. Primeiro, fá-lo com as mãos, depois com a boca. Carla está a fazer o possível para se tornar o centro das atenções. Humedece os lábios com a língua. Chama Karl cada vez que este se aproxima de Nadia. Beija-o. Depois, beija Nadia. Eu aperto as coxas com força para tentar sentir o que elas estão a sentir. Nadia deita a cabeça para trás e abre a boca. Parece-me ouvi-la a dizer «ah» numa exalação, de modo que tento fazer o mesmo.

— Ah — sussurro.

Quando volta a levantar a cabeça, percebo que está a olhar para mim. Não diz nada, a expressão do seu rosto mal se altera, mas eu assusto-me e fujo. Lá fora está ainda mais escuro do que antes, faz mais frio, no mínimo, estarão menos dez milhões de graus e a distância entre o ginásio e o hotel parece-me dez milhões de vezes maior, e as minhas pernas, dez milhões de vezes mais curtas.

— Não podes passar a vida a fugir, Martina — digo a mim mesma, enquanto corro pela neve. Caio e corro mais.

De volta ao hotel, corro diretamente para o elevador. Ardem-me as faces e sinto-me febril. Subo até ao quinto andar e, de pé à frente do quarto de Rachele, pronta para bater à porta, não sei o que fazer. Ou o que dizer. Encosto a orelha à porta e tento distinguir algum som procedente do interior. Mas não ouço nada. Bato com tanta suavidade que ninguém responde. Fiz o que me pediram e não me ouviram. É a história da minha vida, suponho. Também é a história da sua vida, suponho. E, como parece que, para dizer a verdade, posso passar a vida a fugir, volto a fugir mais uma vez.

Regresso ao meu quarto, tiro a roupa, deito-me por baixo do edredão e fico ali deitada, a tremer, a contar quantos segundos consigo passar sem respirar e quantos segundos os meus pés demorarão a voltar a aquecer. Tento pensar noutra coisa, tudo menos nos corpos de Nadia e Carla, nas mãos de Karl, nos lobos que invadem o meu cérebro. É isto que acontece no cérebro de Nadia quando vê coisas? Para me distrair, tento visualizar a disposição de todas as salas de aula em que estive: a creche, a escola primária e a secundária. Ponho cada um dos meus colegas de turma na sua respetiva carteira, cada sala de aula no seu respetivo andar, no seu respetivo edifício e rua. Tento localizar-me a mim mesma nessas salas. No mundo e nesta história.

Até tento sorrir para uma fotografia que ninguém está a tirar-me.

Pouco tempo depois, ou talvez muito tempo depois, Nadia regressa. Acordo de repente porque fecha a porta com força. Está a chorar, a tentar respirar fundo e vai diretamente para a janela. Quando a abre, o ar gélido invade o quarto e eu acho que nunca mais voltarei a aquecer, até abandonar este país. Ou talvez esta vida. Então, reparo que Nadia está nua.

— Não tens frio? — pergunto-lhe.

Não me responde, mas fecha a janela. Deita-se na sua cama, ainda sem parar de chorar, trémula. Karl tê-la-á violado? Carla e Karl tê-la-ão violado, um atrás do outro? Porque estou a pensar em violações? Na televisão, veem-se muitas histórias sobre violações e talvez tenha sido isso que lhe aconteceu. Ou talvez esteja obcecada e seja incapaz de tirar da cabeça palavras como *violação* e ideias sobre Alex.

Esfrego os pés um contra o outro, duas vezes. Pestanejo duas vezes, depois mais duas vezes.

— A Carla continua no ginásio? — pergunto.

Continuo a pensar nas palavras que usarei amanhã para falar com Rachele, mas então Carla entra. Vejo as horas. São cinco e meia.

— Obrigada por me deixares sozinha — diz. — De onde raios veio isso?

Nadia não se mexe. Eu também fico quieta, a fingir que estou a dormir.

— Estou a falar contigo — continua Carla, enquanto se despe.

Mas Nadia não responde e Carla parece adormecer assim que a sua cabeça toca na almofada.

Às sete e meia da manhã, enquanto vestimos os maiôs e fazemos os rabos-de-cavalo e os coques, Nadia continua sem falar. Discutiram no ginásio? Terá sido culpa de Karl? Estas ideias estão a

roubar-me a concentração no dia das provas classificatórias individuais. Não posso permitir-me esta distração. Ponho os auriculares
e aumento o volume da música o máximo possível.

Tomamos o nosso pequeno-almoço diminuto, cuspimos a comida que, em segredo, temos de cuspir, e tomamos os comprimidos que, em segredo, temos de tomar, e depois vamos para o ginásio.
Durante o aquecimento, Nadia senta-se ao meu lado, sem dizer
uma palavra. Os seus movimentos são tão silenciosos que é como
se flutuasse, suspensa a meio centímetro do chão, do banco e de todas nós. Alongamos e, juntas, fazemos os abdominais. Depois, com
a boca fechada, passamos aos agachamentos e aos *burpees*. Talvez, a
partir de hoje, sejamos ambas as ginastas mudas e nos transforme-
mos numa nova dupla.

Carla senta-se sozinha, com o rosto sonolento e manchas aver-
melhadas nas faces. Rachele não para de lhe perguntar se se sente
bem. Se se sente febril. Se tem alguma doença.

— Comeste alguma coisa que te tenha feito mal, Carla? — pergunta-lhe.

— Estou bem, obrigada. E você, treinadora? Como se sente?

— Estou bem — responde Rachele, visivelmente incomodada
e preocupada.

— Parece que engordou um pouco, sabe? Não tenciono ser
mal-educada. Mas, ultimamente, parece que tem o rabo muito
maior.

Rachele puxa o fato de treino como se, de repente, acabasse de
se lembrar de que tem rabo. Eu gostaria de poder dizer-lhe que também tenho consciência da minha celulite desde que Carla disse a
palavra *celulite* e que Nadia já passou três dias a ver imagens de Angelika torturada e assassinada de todas as formas imagináveis só porque Carla disse a palavra *tortura*. Então, segundo parece, somos um

só corpo e um só coração, mas temos de recordar sempre que também somos uma única mente. E, além disso, Rachele ainda tem boa figura, muito feminina, e a verdade é que o fato de treino lhe fica bem. Talvez possa parar de jantar massa, durante um mês ou assim.

— Benedetta — diz Carla. — Ajuda-me a alongar.

Benedetta cora ao sentar-se nas costas de Carla. Até agora, só permitia que Nadia se sentasse nas suas costas. Percebo que isto assusta mais Rachele do que qualquer outra coisa que tenha visto até agora. Fingimos que nós não estamos aterrorizadas. Tiramos o fato de treino e estamos prestes a iniciar as provas classificatórias individuais quando Carla se aproxima de Nadia. Eu fico a olhar em frente, a tentar ser invisível, como se não tivesse ouvidos.

— Porque fugiste a correr ontem à noite? — pergunta a Nadia. — O que raios se passa contigo?

Nadia não olha para ela e também não responde.

— És estúpida? De onde vem esse silêncio e essa atitude? — pergunta Carla. — Procurámos-te por todo o lado.

Não obtém resposta alguma por parte de Nadia, de modo que começa com o «Vermelho, vermelho, azul, amarelo / Coca-Cola Fanta marmelo / dentes retos, pés retos / tu por mim, eu por ti / cocó amarelo, Fanta marmelo / eu cuido de ti e tu cuidas de mim».

Mas continua sem acontecer nada.

Tenta mais duas, três vezes, com a esperança de que Nadia a acompanhe. Então, olha para ela, desafiando-a com um ar de ódio. Nós, as outras, estamos enfeitiçadas. Rachele tapa a boca com a mão, como se acabasse de acontecer algo realmente trágico. Como se uma de nós tivesse caído das paralelas e tivessem de a levar de maca. Ou como se um fisioterapeuta nos pusesse os dedos na vagina desde que tínhamos dez, onze, doze, treze anos e isso se considerasse algo normal.

Nadia não desvia o olhar.

— Para mim, estás morta — diz-lhe Carla. E afasta-se.

Uma vez, quando tinham onze anos, Nadia recusou-se a usar saia numa festa da Federação de Ginastas. Carla queria que vestisse uma igual à dela e disse-lhe que era uma questão de princípios porque tinha umas pernas bonitas, embora fossem «um pouco curtas».

— Não quero usar saia — respondeu Nadia. — Parece que estás obcecada com isso.

— Então, vem com o fato de treino — disse-lhe Carla. — Ficarás incrível.

— Não quero ir com o fato de treino. Quero usar calças de fato.

Nadia ganhou aquela batalha; passaram mais ou menos meio dia sem se falar, mas, no fim, reconciliaram-se com o seu mantra e algumas das suas parvoíces habituais. Outra vez, discutiram porque Carla tinha dado um empurrão a Nadia para a acordar durante um dos seus transes. Nadia reagira mal quando Carla lhe chamara «demente» e «perdedora», mas isso foi tudo. Só me lembro de tolices como essas, que depressa ficavam esquecidas. E era Carla que dizia ou fazia sempre alguma coisa absurda para fazer Nadia rir-se. Rachele ria-se e nós também nos ríamos. Carla era o nosso Popeye. Era forte, tinha bíceps grandes e ganhava sempre.

Mas o que aconteceu hoje é diferente. Hoje, Nadia não diz «vermelho, vermelho, azul, amarelo», e é um assunto tão sério que quase tenho vontade de recitar a rima em vez dela. Como é que Nadia pode deixar a Carla neste estado? Como pode fazer-nos isso a nós, à equipa? Depois de todas as suas teorias sobre estatísticas e superstições! Não suportamos essa rima, não suportamos o maldito cocó amarelo, mas recitar o seu mantra agora, durante este campeonato, durante qualquer campeonato, é algo obrigatório.

Carla engole a humilhação e flete as costas algumas vezes. Aproxima-se das paralelas, respira fundo, sorri e salta para agarrar o banzo inferior. Nadia continua a olhar para os pés, com o lábio trémulo e a respiração acelerada. Só inclina a cabeça uma vez, para olhar para Karl, que entrou no praticável, de modo que não vê que, ao fazer o *Bardwaj*, a mão de Carla escorrega do banzo. E cai. Nadia também não vê que Carla se levanta, toca no joelho esquerdo e fica a olhar para Rachele durante um bom bocado, para indicar que se passa alguma coisa. Eu sinto a dor do joelho esquerdo de Carla e cerro os dentes.

— Cima — murmura Rachele.

— Cima — murmuramos todas.

E Carla salta de novo para cima e Rachele vê como a sua melhor atleta hesita durante a sua sequência nas paralelas e depois outra vez na trave olímpica. Hoje, os seus movimentos e as suas pontuações estão dentro da média, o seu ritmo e a sua elegância são a sombra da rapariga que todos viram ontem. Hoje, não é o anjo de Deus. Angelika supera-a em tudo. As raparigas chinesas e Nadia também a superam. Até eu, por incrível que pareça, o faço melhor do que ela tanto na trave olímpica como nos exercícios de solo.

Rachele dirige-se para mim. Ela também deve estar a pensar no cocó amarelo e que, depois de anos de trabalho, vai tudo à merda. Eu puxo o fecho para cima e para baixo e tenho de o fazer dez vezes até poder voltar a respirar com normalidade, enquanto os outros treinadores olham fixamente para nós e se regozijam. Ou é o que me parece. Rachele vai a arrastar o seu rabo enorme. Provavelmente, já a pesar cerca de cem mil quilos. Talvez não lhe baste prescindir da massa ao jantar. Ou talvez possa aceitar este corpo novo, comer mais e mais massa e mais de tudo, sempre, transformar-se numa mulher titânica, forte e poderosa. Se fosse tão grande como a estratosfera, por exemplo, poderia gritar mais, esmagar-nos melhor, assustar-nos mais. Seria tudo muito mais direto. Seria sincero. Reconheceríamos melhor o monstro. E saberíamos melhor quem devemos matar.

Depois de um exercício na mesa de saltos bastante medíocre, vemos desaparecer o sucesso de Carla na final geral de domingo.

— Martina, o que está a acontecer? — pergunta-me o monstro.

— Não sei, Rachele — respondo-lhe, com o coração acelerado e as pernas inquietas.

— O que aconteceu ontem à noite?

— Estive a dormir.

Olho para Nadia e depois para Carla. Revejo o discurso que preparei para a nossa treinadora — sobre o seu desaparecimento, Karl, a discussão, a dor de Nadia — e decido esquecê-lo. Não fui eu que pedi para partilhar o quarto com elas. Não me cabe a mim resolver a sua situação. Eu fiz uns bons exercícios na trave olímpica, deram-me um 14,20. Não posso queixar-me. Ela não pode queixar-se. A verdade é que também tenho vontade de dizer a Rachele que se foda. E se essa fosse a minha palavra mágica para todas as situações da vida?

— Martina, temos de chegar às Olimpíadas, não é?

— Sim.

— E também sabemos que a Carla tem de estar no pódio da final geral. E a Nadia também tem de ficar entre as dez primeiras.

— Não sei o que dizer, treinadora.

Vejo evaporar-se o último pingo de amor que Rachele sente por mim. Para que me seja mais fácil odiá-la também, imagino as suas coxas cheias de celulite, buracos de gordura, como Carla disse. Imagino-a a envelhecer, cada vez mais fraca, a olhar para mim com esse sorriso falso que tem. Acrescento um cigarro fedorento à sua cara decrépita, aos seus lábios sem vida. Nos meus pensamentos, tem oitenta anos ou talvez mil.

— Eu encarrego-me disto, Marti — disse-me, então. — Não digas a mais ninguém. Pelo bem do clube, está bem?

E eu aguardei. Esperançada.

— Disse-me para não contar a mais ninguém, pelo bem do clube — contou-me Nadia.

De modo que ambas aguardámos. Esperançadas. Ao fim e ao cabo, era pelo bem do clube.

Aproximo-me de Nadia. Está a chorar, apesar de ter realizado uns exercícios de solo mais do que decentes. Fica em quarto lugar. Carla fica atrás dela.

— Queres um pouco de água? — pergunto-lhe.

Diz-me que sim com a cabeça, portanto, entrego-lhe a minha garrafa. Continua a chorar, portanto, eu continuo preocupada.

Nunca me preocupo quando sou eu a chorar. Sei que, mesmo que esteja a chorar, consigo lidar com isso. Ser a pioneira da minha dor. Mas, quando vejo outras pessoas a chorar, acho que devem estar desesperadíssimas e que são tão infelizes que poderiam chegar a suicidar-se. Por exemplo, quando a minha mãe chora, tenho tanto medo que poderia desmaiar. Uma vez, quando estávamos a limpar uma agência publicitária às cinco da manhã, vi-a a chorar enquanto limpava o pó e foi a hora mais infeliz de toda a minha vida. Lá fora, estava um frio que cortava e as ruas estavam desertas. Tinha subido para cima de uma secretária e estava a ver os semáforos a piscar a cor âmbar. No que se refere a noites tristes, tínhamos tido muito piores. Tínhamos limpado casas de pessoas velhas. E hospitais. Mas, naquele escritório, vê-la a chorar fez com que fosse a hora mais triste da noite mais triste da história. Então, olhei para a rua aos meus pés e para a cidade, que fazia o possível por se apagar. Fi-lo para não envergonhar a minha mãe e tentei distrair-me a pensar nas casas onde as pessoas dormiam enquanto nós trabalhávamos, procurando uma forma de a fazer feliz, mesmo ali, com o limpa-vidros numa mão e o pano do pó na outra. Procurei uma forma de nos salvar. Mas ela chorava com tanta força que, no fim, olhei para ela e explicou-me que não estava triste, que só estava cansada. Foi como se tivesse de se justificar comigo. Se eu não estivesse ali, se fosse invisível, poderia ter chorado sem se sentir envergonhada ou culpada.

— Porque não posso dormir em casa e ficar com o papá? — ouvi-me a perguntar. Queria mostrar-me carinhosa, mas notou-se a amargura.

— O papá começa o seu turno às quatro da manhã.

— Odeio-te — disse-lhe. — Odeio os dois.

Mas não era verdade. Poderia ter-lhe dito «amo-te», não sei porque lhe disse «odeio-te». No autocarro de regresso a casa, adormeceu com a testa apoiada na janela.

— Não é verdade que te odeio — disse-lhe.

— Eu sei — murmurou. Tinha a boca seca e a pele acinzentada.

Aninhei-me por baixo da sua axila e adormeci, pensando na forma de a salvar a ela e depois a mim. Hoje em dia, o meu plano continua a ser o mesmo plano difuso que inclui ginástica e purpurina nas pálpebras; às vezes, também no cabelo.

Nadia e eu vemos que Carla está a falar com Rachele, tem a cabeça baixa.

Até quando está a chorar, Nadia é mais bonita do que eu, sem dúvida. Fico a olhar para os seus lábios. E para as suas lágrimas, que fazem com que tenha as faces mais cor-de-rosa. Vemos que Alex se aproxima de Carla e de Rachele. Parece realmente preocupado. Tenho de admitir que talvez esteja apaixonado por este desporto.

E de certeza que ele também tem um plano difuso para o futuro, tal como eu tenho. O vídeo caseiro de um quiroprático a trabalhar as costas de uma rapariga no Nevada, sem dúvida, deve fazer parte do seu plano.

— De que se trata? — pergunta a Carla. — O joelho?

Ela diz que sim com a cabeça e senta-se no chão para deixar que lhe trabalhe a perna e a pulverize com gelo seco.

— Melhor? — pergunta.

— Pior — responde ela. — Tocaste-lhe.

Quando se junta a nós, Carla senta-se junto de Anna. Benedetta arranja-lhe espaço e, imediatamente, no banco, cria-se um espaço destinado a ela.

— O Karl violou-te? — pergunto a Nadia.

Ela fica a olhar para mim durante uns segundos, enojada, com a testa perlada de suor.

— Estás triste porque a Carla quer roubar-te o Karl?

Agora, olha para mim com ódio, mas, provavelmente, aborrece-se depressa, portanto, levanta-se e vai sentar-se mais longe. Cheia do seu ódio e do meu próprio ódio por mim própria, aproximo-me da mesa de saltos e faço dois saltos perfeitos. Enquanto voo e rodo, penso: «Que te fodas, Carla. Que te fodas, Nadia. Que se fodam, Alex e Rachele». Penso nisso com uma convicção plena e, quanto mais penso nisso, mais limpos se tornam os meus movimentos. Faço uma rondada no trampolim, preparo-me e faço o primeiro salto. Faço um *Yurchenko* com meia pirueta. Faço a receção ao solo. Cumprimento. Digo-lhes mentalmente a todos que se fodam mais uma vez e, de repente, vejo-me entre as dez primeiras classificadas da final geral. Até me atrevo a ver-me nas Olimpíadas.

Sorrio, enquanto lá fora começa a nevar de novo e, nesse preciso instante, decido que «que se fodam» será o meu mantra favorito para todos os tempos. Quanto mais olho para a neve, mais convencida estou de que tenho de viajar para países do norte como a Finlândia, a Suécia e a Noruega. E a Islândia: onde não há árvores, mas vulcões, tão poderosos que podem evitar que os aviões descolem; água quente que sai em géiseres; e também lagoas naturais de um azul leitoso. Irei lá quando aprender a conduzir e, como a Caracolinhos de Ouro, experimentá-las-ei todas e escolherei qual é perfeita para mim. Construirei uma cabana de madeira junto dela. Terei uma lareira no quarto. Todos os lobos da Islândia serão também meus amigos.

Ponho os auscultadores, deito-me no banco e vejo as raparigas romenas lindas com os seus maiôs lindos a fazer sequências que são mais bonitas do que as nossas. Vejo que Angelika é um milhão de vezes melhor do que Carla. E do que qualquer outra. Olho dissimuladamente para Karl, com o seu cabelo cheio de gel, que olha para Carla enquanto examina também uma ginasta polaca com umas mamas de um tamanho bastante decente. Vejo Benedetta a falhar em todos os seus movimentos.

— Que mau — comenta.

E ninguém se atreve a contradizê-la.

Nadia continua a chorar e Carla está a fazer uma trança no cabelo de Anna. Incomoda-me que Anna pareça tão agradecida, com essas faces cor-de-rosa ardentes e brilhantes de felicidade. Sinto vontade de me aproximar e de lhe recordar todas essas vezes que Carla lhe bateu ou a humilhou. A vez em que lhe disse que o seu pai estava sempre fora porque a sua mãe era uma cadela.

— Tal mãe, tal filha — disse-lhe.

Mas puxo o fecho do fato de treino para baixo e para cima para não estragar a festa. Embora saiba que, mais tarde, Carla lavará as mãos para se livrar do toque do cabelo de Anna.

«Era como tocar em vómito», dirá. Ou talvez «como tocar em caca». Ou merda. Ou saliva.

Concluímos a nossa participação com os exercícios de solo. Todas executámos uns exercícios limpos e precisos, embora Carla não seja nada inspiradora e nós estejamos todas desalentadas. Rezamos para que o resto das raparigas — em especial as romenas, as chinesas e as russas — o façam mal, só para nós ficarmos melhor. E rezamos com tanta força que, à exceção de Benedetta, todas nos classificamos para a final individual geral. No caso das outras, era algo óbvio, mas, no meu caso, é uma grande vitória. Poderei competir entre as melhores ginastas deste campeonato. E, apesar da dor que me causa a escuridão de hoje, tenho o coração prestes a explodir. De repente, sinto-me tão feliz que tenho vontade de gritar. A ideia de Nadia e Carla estarem mais fracas do que o normal, graças ao facto de estarem zangadas e distraídas, de repente, também me parece atraente.

Nessa noite, no nosso quarto, Nadia afasta a sua cama da de Carla e roga-me que troque de cama com ela. Carla continua na sua sessão de fisioterapia com Alex, depois passará pelo quarto de Rachele para o banho de gelo.

— Quero estar perto da janela — explica Nadia.

— Mas, e se a Carla se zangar?

— Cala-te, está bem? Tanto me faz o que ela quer.

Então, mudamos os lençóis das camas. Deito-me e fico quieta, como se estivesse morta, tão invisível quanto me é possível. Calo-me. Sou um cadáver. Uma pedra. Quando Carla regressa, está gélida como o gelo e muito calada. Talvez o banho de gelo também lhe tenha gelado o coração. Talvez consigamos passar a noite todas caladas.

Passo a noite com cada uma delas de cada lado. Nadia vê vídeos no YouTube com os auscultadores postos. Carla está inquieta. Põe maquilhagem. Depois, tira-a. Depois, volta a pô-la. Eu pego no meu livro de texto de História e leio alguma coisa sobre a Idade do Ferro, a Idade de Ouro e o que quer que seja que vem depois. Nunca recordarei nada disso e os professores nunca me perguntarão realmente por isso. As escolas a que vamos são tão lassas que só vamos porque a lei assim o determina. Temos de treinar, esse é o nosso dever, e os professores sabem-no. Na verdade, eles não se importam se eu sei alguma coisa ou não. Só leio para manter os olhos em movimento, a cabeça ocupada, a alma noutro lugar.

Carla depila as pernas com cera, depois aplica uma máscara facial.

— Esta noite, vou sair, preciso de me divertir — comenta. — Quando está coberta de neve, a vila parece Paris.

Arranca uma tira de cera da virilha. Depois, outra do outro lado. Não pode sair. E não pode divertir-se.

— Por favor, não o faças — peço-lhe. — Tens de descansar.

— Queres que te ensine a depilares-te com cera? — pergunta-me.

Sempre me depilei com uma lâmina, no duche, porque foi assim que a minha mãe me ensinou. Além disso, diz-me sempre que é mais barato. Uma vez, também me disse uma coisa horrível: que a cera deixa a pele flácida na zona do biquíni. Mas a mãe de Carla é esteticista, portanto, deve saber e a cera tem de ser melhor. Não confio na minha mãe: diz sempre que somos felizes e depois chora. Porque haveria de ser de confiança no que diz respeito às virilhas? Graças ao salão de beleza, às vezes, depois de tomar banho, Carla espalha argila pelo corpo para prevenir a celulite e embrulha-se com película aderente. Cheira a alecrim e a lama. São coisas que surripiou à sua mãe, como os ganchos que Nadia e ela têm no cabelo, as cuecas de papel e o verniz de todas as cores que tem na bolsa de maquilhagem. Pergunto-me se a mãe de Carla, que é tão religiosa, fará penitência por ser uma ladra. Imagino as palavras que emprega à noite para falar com Deus, sobre a argila anticelulite e o seu desejo de ter verniz de todas as cores.

— O Karl vai mostrar-me a zona — está a dizer-me Carla.

Eu tento não acrescentar mais nada. Sei que tenho de parar de olhar para Carla e para Nadia como se fossem personagens de um filme, um mistério por resolver, a gramática de uma língua estrangeira que aprenderei com o tempo. Concentro-me no papel pintado da parede, no livro de História e em todas as suas páginas e etapas. Passo da quarenta e dois para a quarenta e três. Depois, para a quarenta e quatro.

— Estás a ouvir-me, Martina? — diz-me Carla. — Olha para mim.

Olho para ela. Pôs a perna por trás da orelha e está a arrancar pelos de uma zona situada na parte traseira das coxas. Nem sequer sabia que tínhamos folículos aí.

— Não podes ir — repito-lhe. — Amanhã, é a final. As romenas têm vantagem. As chinesas também. Precisamos que estejas a cem por cento. A Angelika foi perfeita hoje e tu não.

— Vou destruir essa puta — diz-me. — Acrescentarei um *Khorkina* e um *Kim*, não te preocupes.

— Não praticaste o *Kim* o suficiente. Não o faças.

— Cala-te.

— A Nadia viu o Karl antes de ti — digo-lhe, de repente.

Carla rebenta em gargalhadas. Mas os seus olhos não se riem. Nadia continua com os auscultadores postos e pergunto-me se realmente está alheia ao que estamos a falar. Nunca a tinha visto tão pequena.

— Em casa, têm cadeiras, carne e uma televisão? — pergunta-me Carla. — Ou não podem permitir-se essas coisas?

— Não podemos permitir-nos. Então? A Nadia gostava do Karl primeiro — repito-lhe. — Além disso, é evidente que não está bem.

— Eu também gosto dele e, além disso, há coisas que não sabes. E não as sabes porque, quem haveria de te contar alguma coisa?

— Tu. Tu estás a falar comigo. Neste momento.

— A tua voz é estranha — diz-me Carla. — E, se voltares a dizer-me para me foder, mato-te.

Abandona o quarto toda arranjada com a sua sombra de olhos azul e o seu verniz cor-de-rosa. Nadia esmaga a cara contra a almofada. Aproximo-me da janela e, dali, vejo Carla a atravessar o pátio coberto de neve. Não acho que seja tão cruel como gostaria de me fazer achar. Também não acho que seja amável, mas, enquanto a vejo a andar aos tombos e a esfregar os olhos, sinto pena dela. Por baixo da neve, junto da floresta, vejo Angelika a fazer o seu treino noturno sozinha. Então, vejo que Karl sai a correr e alcança Carla. Tenho de refazer o rabo-de-cavalo duas vezes antes de conseguir afastar-me da janela e convencer-me de que a minha voz não é estranha. E de que não tenho de ir ao quarto de Rachele para lhe dizer que Carla se foi embora. Vou sentar-me junto de Nadia. A sua cama parece o ponto mais solitário da Via Láctea. Como se flutuasse, sozinha, no meio do nada.

— Estás bem? — pergunto-lhe.

— Sim — responde.

E abraça-me. Não pode estar bem se está a abraçar-me. Além disso, treme-lhe o corpo.

— Apago as luzes?

Assente, agradecida, e fica deitada de costas para mim. Ponho os auscultadores com a esperança de não voltar a ouvir mais nada até de manhã. Mas quando, a meio da noite, abro os olhos, através da porta aberta da casa de banho, vejo Nadia a pôr um tampão. De modo que já começou a ter o período e já sabe como usar um tampão. Talvez tenha visto a sua mãe a fazê-lo. Eu não saberia como pôr um e espero não ter de o fazer até dentro de vários meses. Anos, possivelmente. Para me certificar, terei de comer ainda menos.

Nadia limpa uma manchinha de sangue do chão da casa de banho e depois atira o papel higiénico manchado para a sanita. Enquanto a observo, já tenho consciência de que este será um desses momentos que ficam gravados na memória para sempre. Não há nada que possa fazer a respeito disso, ficará aqui armazenado, juntamente com algumas discussões com a minha mãe, o som que Alex faz quando chega ao orgasmo e descobrir que cor tem a pele de uma rapariga morta. Todos os detalhes ficarão misturados, para sempre, juntamente com alguns medos que tinha com três ou quatro anos e o som daquela vez que caí da trave olímpica e bati com a cabeça com tanta força que desmaiei.

SEXTA-FEIRA

Saio do duche e seco-me com as toalhas ásperas que poderiam ajudar a rapariga polaca com o acne amarelo. Quando entro no quarto, Nadia já não está lá. Ontem à noite, não ouvi a Carla a regressar, mas está ali agora, a espreitar pela janela, a cuspir, provavelmente, em direção à cabeça de Angelika. Vira-se, embrulha-se com as cortinas e sorri, com um fio de saliva que lhe escorrega pelo queixo. Limpa-o com o pulso e volta a cuspir em minha honra, fazendo mais barulho, como os fumadores na rua. Adoraria ser capaz de pigarrear assim.

O telemóvel dela toca.

— Olá, mamã — diz. — Sim, estou fantástica. Adoro isto.

Revira os olhos. Segundo vejo, não está incrível, certamente. Além disso, parece cansada.

— O quê? — diz. — Estou bem. Não sei o que a Rachele te terá dito, mas estou bem. Garanto-te. Sim, mamã. Eu também te amo.

Pisca-me um olho. Finge que vomita.

— Sim, mamã. Sou a melhor. O Senhor, sim. Amamo-lo, para todo o sempre.

Desliga o telemóvel e fecha o fecho do fato de treino. Eu faço o mesmo. Depois, puxo-o para baixo e volto a puxá-lo para cima.

— Não vais perguntar-me se me diverti ontem à noite? — diz-me. — Se fodi?

— Divertiste-te ontem à noite? Fodeste?

Assente e escova o cabelo. Não sei se assentir conta como um sim, portanto, não sei se realmente fodeu. Nem com o Karl, nem com mais ninguém na sua vida. Concentro-me no seu cabelo, que é tão comprido e loiro que, se o Senhor não tivesse entrado na sua vida, seria perfeita para um anúncio de champô.

— Fomos ao centro da vila e comemos um *kebab*. Também fomos a um bar buscar uma Coca-Cola. Pareceu-me ver o Alex a embebedar-se.

— Espero que morra.

— Ai, Martina — diz-me, rindo-se. — Finge que é apenas um pesadelo. Assim, acordarás.

— Nunca acordaremos. Não enquanto não nos livrarmos dele.

— Fá-lo-emos. Com o tempo — garante. E muda de assunto: — Quando regressei, estavas a ressonar como uma besta. Como um homem gordo de cinquenta anos. Tenciono gravar-te.

— Falaste com a Nadia? Não se sente bem.

— Que novidade. De qualquer forma, foi-se embora enquanto eu dormia. Embora também não ache que tivesse falado comigo.

— O que está a acontecer?

— Está obcecada comigo. Tu sabes. Eu sei.

— Pensei que era porque lhe tinhas roubado o Karl.

— Oxalá fosse assim tão simples — diz, entre gargalhadas. — Vamos?

Saímos do quarto, Carla junto de mim. A julgar pela forma como fala comigo, qualquer um pensaria que somos amigas. A

115

julgar pela forma como sorri, qualquer um pensaria que somos mesmo felizes. Mas, como bem diz, nada é assim tão simples. Espero que Nadia não nos veja porque poderia pensar que estou do lado de Carla. E, se tivesse de escolher, continuaria a pensar que Carla é culpada. Mas nem sequer a culpa é assim tão simples.

— Arranja o cabelo — diz-me. — Poderias ser muito bonita se te esforçasses um bocadinho.

Portanto, arranjo o cabelo e esforço-me um bocadinho.

Na zona da receção, alguns dos rapazes estão caídos nos sofás. São feios, todos eles, com borbulhas, baixinhos ou com o cabelo gorduroso. E, além disso, cheiram mal. Cheiram pior quando tomam banho em perfume do que quando suam. Sentamo-nos sem sequer dizer olá.

— A rapariga polaca não morreu — comenta um deles.

Tinha-me esquecido da rapariga polaca. Sou tão cruel que não voltei a pensar no corpo inerte de uma rapariga como eu, que levaram de maca, com um colarinho e os pés rígidos? Se tivesse morrido e ninguém tivesse voltado a falar dela, é provável que me tivesse parecido bem.

— Nem sequer ficou paralítica? — pergunta Carla.

— É apenas uma lesão — responde outro dos rapazes.

Só uma lesão. E menos uma adversária.

Não temos nada a acrescentar. De modo que não dizemos nada e limitamo-nos a ficar ali, à espera de Benedetta, Nadia, Anna e Rachele. À frente das portas de vidro, vemos dois homens que retiram, sem parar, a neve da entrada do hotel. Põem-lhe sal por cima e depois voltam a esforçar-se com as pás, enquanto lhes sai o bafo branco da boca. Dizem alguma coisa, então, riem-se. Um deles é mais velho do que o outro; talvez sejam pai e filho. Têm as faces coradas e os ombros tão largos que parecem ursos com casaco. Gostaria de o dizer em voz alta — «Veem aqueles ursos com casaco?» — e que as pessoas sussurrassem «Que frase tão engenhosa, Martina. Que alma tão engenhosa a tua, querida». Gostaria de ir lá fora ajudá-los. Em vez disso, refaço o rabo-de-cavalo duas vezes.

Quando chega, Nadia senta-se longe de nós. Tem a testa húmida por causa do suor. Usa óculos de sol e tem os auscultadores postos. Quando Benedetta e Anna se aproximam, vejo que se sentem conscientes da separação que existe entre Carla e Nadia, embora todas finjamos que não se passa nada. Como quando os nossos pais discutem e sabemos que não podemos perguntar «O que se passou?». É um problema deles e, de qualquer forma, a vergonha fecha-nos a boca, mata-nos de medo e causa-nos uma dor de barriga daquelas que as discussões dos pais causam. Eu tenho diferentes tipos de dores de barriga. Tenho um para as competições, outro para Alex, outro para quando Nadia parece estar doente. Portanto, hoje escolho essa dor concreta e agradeço.

— Olá — dizem as Inúteis.

E sou a única que responde com um olá.

Carla não olha para elas ou para Nadia. Nadia também não olha para ela. Eu olho para ambas, mas, de novo, prefiro a neve lá fora, as pás e as gargalhadas dos ursos com casaco. Oxalá não houvesse ninguém a discutir à minha volta, porque fazer as pazes pode ser muito difícil e ver o suor na testa das outras pessoas é algo que me incomoda muito.

— Foste correr pela floresta? — pergunta Carla a Nadia, em voz baixa. — Viste a Angelika?

Nadia não responde. Esfrega as mãos e fica a olhar em frente.

Uma vez, os meus pais separaram-se. A minha mãe disse ao meu pai: «És um ser humano horrível». Cada vez que entrava numa divisão e ele estava ali, mandava-o embora. Ele começou a chorar e disse: «Vou-me embora porque me odeias». Eu olhava para eles com um olho, enquanto com o outro via televisão. Saiu de casa, foi dormir no sofá de Nino. Uma vez, veio à minha escola para me abraçar e começou a chorar. Em algum momento, decorridas várias semanas, reconciliaram-se e a minha mãe voltou a mostrar-se amável com ele. Não sei bem o que aconteceu entretanto, talvez tenha sido apenas o tempo, mas o meu pai tinha o pescoço magoado. Teria tentado enforcar-se? A minha mãe teria tentado estrangulá-lo? Essas foram as primeiras coisas que me vieram à cabeça: suicídio e homicídio. Ninguém voltou a mencionar o assunto. Se alguma vez considerarem oportuno contar-me porque voltaram a estar juntos, será quando for adulta, e eu ainda me importarei menos, e a cortina de fundo da minha vida será a cidade de Los Angeles.

Sorrirei de algum lugar próximo dos canhões da zona.

Rachele aparece no *hall* e a sua franja parece-me a maior e a mais volumosa de toda a Europa. Se acabar na prisão, acho que, dali, devia dedicar-se a fazer tutoriais pela Internet para ensinar a fazer franjas. Vídeos de três minutos, truques com o secador de cabelo e essas coisas. Polegares para cima. Polegares para baixo. Teria muitíssimo jeito. Poderia expandir-se com as suas teorias sobre a beleza, as raparigas e os corpos. As pessoas deixariam comentários, fariam perguntas sobre os produtos que usa: «E o batom cor de laranja que usa sempre, de que marca é?». Mas hoje, depois de termos sussurrado coisas horríveis sobre o seu enorme cabelo oxigenado, não perguntamos nada. Voltamos a ficar caladas. Ela chama-nos e seguimo-la para o exame habitual de fisioterapia com Alex.

Entro primeiro. Sou a pioneira do exame.

— Quarenta e quatro quilos, um metro e quarenta e oito, cem pulsações por minuto — diz Alex.

«Por favor, solta-me — penso. — Por favor, morre», penso também.

— Tens o coração um pouco acelerado. E estás a ficar mais alta. Há mais alguma coisa que queiras contar-me?

— Estou bem — digo-lhe, embora não esteja. «Odeio-te.» E ficar alta é uma merda.

— Estás nervosa com o campeonato?

— Estou bem.

— Aguenta firme e sê valente.

— Estou a ser valente agora, aqui, contigo — consigo dizer.

Conto até cinco. Depois, até dez. Tento não olhar para ele nos olhos enquanto me mede a pressão arterial e depois olha para as nódoas negras. Manipula-me o tornozelo esquerdo com rapidez. Depois, afasto o tornozelo e levanto-me.

— Se disser Martina, o que dizes?

Quer aparentar normalidade, mas treme-lhe a voz. Está a tentar seguir o seu guião. Não suporto o seu guião. Nem o seu guião, nem as suas mãos, nem a sua boca, nem o seu pénis, que vi a ficar duro dezenas de vezes por baixo das suas calças. Não suporto o seu cheiro, nem a sua voz, nem o seu cabelo. Nem o seu nome.

— Digo vencedora? — murmuro.

Consigo olhar para ele nos olhos. Ele baixa o olhar. Cabrão de merda.

— Muito bem, Martina. És uma vencedora. Já podes ir.

Sou uma vencedora. Posso ir. Portanto, vou.

Alex faz-nos uma sessão de fisioterapia diária e faz-nos um exame semanal. Se estivermos de viagem, o exame pode durar menos de seis minutos. Se nos apressarmos a tirar a roupa e a voltar a vesti-la, subir para a balança, endireitarmo-nos e fingir que tossimos, poderia durar cinco minutos e já está. Ainda não consegui entender o que faz com que nos toque dessa outra forma. Dessa outra forma doentia e asquerosa. Com frequência, questiono-me o que será que o excita mais. Será a nossa felicidade ou a nossa tristeza? A sua força ou a nossa fraqueza? Ou a nossa força e a sua fraqueza? Devia chorar ou sorrir para me sentir mais segura quando estou com ele?

— Sei que pode ser incómodo — diz agora, às vezes, desde que me queixei a Rachele.

Por algum motivo, falar disso deve fazê-lo sentir que é uma questão médica. Mais profissional. Faz o mesmo com a Nadia e com a Carla.

— Já quase acabei — poderia acrescentar. — Temos de tratar da tua anca, portanto, essa é a zona que temos de trabalhar se quisermos melhorar a anca.

Então, toca em mim, de novo, nessa parte da anca que, agora sei, nunca esteve fraca, nem partida, nem precisou de cuidados constantes. O problema de Nadia parece ser a zona lombar. O de Carla, o joelho e os ombros. Por alguma razão, o nervo em que tem de tocar para trabalhar todas essas zonas danificadas fica dentro da nossa vagina.

— Não tenho nenhum problema na minha zona lombar — dissera Nadia a Rachele.

— Raparigas, é o melhor — respondera-lhe ela. — Explicou-me tudo. Não há problema.

Não posso dizer com cem por cento de certeza que Rachele não acreditou nele, nem que uma parte minúscula de nós também não acreditava. Claro que acreditámos. Desejamos acreditar nele com todas as nossas forças.

Deixo a porta aberta ao sair e sento-me lá fora. Ouço como Alex pesa as minhas colegas de equipa, as perguntas que lhes faz. Ouço-o com frequência a repetir «Agora, deves comer um pouco mais. Se não comeres nada, não podes competir». Diz o mesmo a todas no seu quarto, mas menos de meia hora depois, Rachele dir-nos-á para reduzirmos as doses, os carboidratos, os açúcares. Também terão concordado nisso?

— Não vão gostar de se ver com o maiô — sussurrará. — Confiem em mim. Os movimentos não ficam bem se tiverem um pouco de barriga.

Nadia é a última a entrar. Entra no consultório ainda com os auscultadores postos, a arrastar os calcanhares sujos das suas sapatilhas, com o seu rosto bonito atormentado. Mesmo quando está furiosa, ou doente, a sua beleza é a primeira coisa em que reparo. Mas hoje, ao reparar nas suas sapatilhas encharcadas, também vejo que tem o mesmo olhar do que a velha louca do meu bairro que passeia pela rua com uma boneca nos braços. Nadia parece tão perdida e sozinha como ela. Tão doce e terna como ela.

— Para de fazer isso — diz-me Carla, apontando para os meus dentes.

— Fazer o quê?

— De ranger os dentes. E para de tremer ou que merda seja que estás a fazer.

Nadia desaparece no interior do consultório. Oxalá pudesse entrar com ela.

— Nadia, estás a deixar o chão sujo — ouço o que Alex lhe diz. — Porque tens os ténis tão sujos e molhados? Estiveste na floresta?

— Precisava de um pouco de ar fresco — responde, e a sua voz parece seca. — E de estar sozinha.

— Não podem fazer isso. Têm de ir sempre com mais alguém.

A porta fecha-se atrás dela.

— Martina, controla-te — diz-me Rachele. — Por favor.

Então, tento controlar-me e parar de tremer ou que merda seja

121

que estou a fazer. As paredes são tão finas que, de onde estou sentada, ainda ouço retalhos do exame de Nadia. Ouço-a a dizer que lhe chegou o período e explica a Alex que não, não dói. Fico contente por saber que o período não lhe dói. Diz que acha que tem os pulsos mais fracos do que o habitual. E eu penso que aí vêm elas outra vez, mais fraturas de *stress*. Todas sabemos que acabarão por nos partir, com o tempo. E, então, ouço um ruído forte, como se algo metálico tivesse caído ao chão, e um vidro que se parte em pedacinhos.

Carla vira-se para olhar para Rachele.

— Porque nos deixas a sós com ele? — pergunta-lhe. — És tão perversa como ele.

Rachele fica a olhar para ela, horrorizada. Entra no quarto e fecha a porta. Carla levanta-se, mas, ao perceber que estou a olhar para ela e que as outras também estão a olhar, encolhe os ombros e volta a sentar-se. Tento lançar-lhe um olhar de agradecimento, mas não olha para os meus olhos. Está pálida. Estamos todas pálidas. Se uma de nós empalidece, as outras também. Se uma de nós está lá dentro com o Alex, as outras também.

Nadia tê-lo-á matado? Ela ter-se-á suicidado?

Temos sempre medo dos suicídios. Como se fossem uma espécie de gripe que podemos contrair se não tivermos sorte, e também pelo facto de termos entre catorze e dezasseis anos. Se acreditarmos nas estatísticas agoureiras de Nadia e no que dizem na televisão, é algo que sucede a todas as horas. Os números são assustadores e estão sempre acompanhados de descrições da cena. Cintos a pender, comprimidos pelo chão, a pistola de um familiar que disparou e há miolos espalhados pelos azulejos da casa de banho. A quantidade de pistolas de familiares que há por aí à solta, meu Deus! A esses números e aos cintos a pender do duche temos de acrescentar as mortes por anorexia que, de certo modo, também são suicídios. As anoréxicas que não morrem por vomitar, ou por pesar menos de vinte e seis quilos, ou de um ataque de coração, têm mais probabilidades de se suicidar do que as que não são anoréxicas e essa também é outra estatística que aprendi graças a Nadia. Escusado será dizer que nós somos mais propensas ao suicídio, por essas mesmas razões e por todas as outras razões que Carla quer acreditar que são pesadelos de que podemos acordar.

No ano passado, uma ginasta chinesa e uma ginasta francesa suicidaram-se. Em meses diferentes e usando métodos diferentes, mas estudámos ambos os casos com muita atenção. A ginasta chinesa foi encontrada enforcada no internato onde vivia. Tinha treze anos e usou as ligaduras que usamos para embrulhar as mãos nas paralelas assimétricas para se enforcar. Atou-as ao duche, subiu para a prateleira das toalhas, passou a cabeça pelo meio e deixou-se cair. Quando se soube da notícia, já tinham decorrido dois meses desde a sua morte. A sua equipa emitiu um comunicado breve, mas não conseguimos encontrar entrevistas na Internet. Nem um treinador, nem uma colega de equipa que o dissesse em voz alta. Rachele explicou-nos que os chineses são muito reservados. Suponho que se visse refletida naquela ideia, no matiz que alguém pode dar à palavra *reservado*.

— Estão a mentir — dissera Carla. — E uma merda é que são reservados.

— Não querem que ninguém saiba porque, caso contrário, o mundo saberia as coisas que acontecem ali — acrescentou Nadia.

— Dizem que as atletas têm dezasseis anos quando, na verdade, têm doze. Matam-nas e fingem que não aconteceu nada. Morrem e ninguém diz nada. Cães!

Rachele tentara fazer com que parássemos de repetir as palavras *cães* e *morte* e depois pediu-nos para fazer um exercício de relaxamento que aprendera no ioga. Explicou-nos que repetiríamos esse exercício de forma regular; era bom para nos concentrarmos e também para relaxar.

— Ajuda quando têm medo — disse-nos. — Aprendem a respirar mais devagar, quando o vosso corpo quer que respirem mais depressa. Em resumo, permite que vocês tenham o controlo, não o vosso medo.

Naquela semana, fizemos ioga, mas Rachele não demorou a esquecer o assunto ou pensou que muitas de nós tínhamos adormecido, portanto, voltámos ao alongamentos de sempre. Ainda hoje, de vez em quando, uso partes do exercício que nos ensinou para sobreviver às sessões de fisioterapia.

A porta de Alex permanece fechada durante uns minutos. Quando se abre, Rachele sai. Olhamos para ela. Tenta sorrir para nos tranquilizar e tenho de reconhecer que o seu sorriso, curiosamente, consegue fazer com que me sinta mais calma. Apesar de tudo, amo-a e sei que nos ama. Suponho que aconteça o mesmo com as crianças cujas mães lhes batem. Mesmo assim, amam-nas, não é assim? Desfrutam desse abraço ocasional. Só têm uma mãe. Vejo-a a sorrir de novo, antes de começar a falar no tom de voz mais sereno que consegue adotar.

— Desmaiou. Não há razão para se preocuparem.

— Porque desmaiou? — pergunta-lhe Anna. — Está doente?

— Tem a pressão arterial baixa. Já está bem.

— Mas, porque tem a pressão arterial baixa? — pergunto.

— Às vezes, acontece — responde Rachele. — Não há razão para se preocuparem.

Carla tem lágrimas nos olhos e, quando percebo, ela põe os óculos de sol. Parece uma celebridade. Ou uma pessoa de luto num funeral. Ou uma celebridade de luto num funeral. Dirige-se para as janelas, Rachele segue-a e eu olho para elas por trás, Carla com os ombros caídos para o chão e Rachele a mexer os seus ao ritmo das suas palavras enquanto fala demasiado depressa. Usa demasiadas palavras. Tenho vontade de gritar: «Se te calares de uma vez, Rachele, talvez a Carla fale contigo. Se fizeres uma pausa, talvez te conte alguma coisa. Para de divagar sobre as Olimpíadas. Para de falar sobre os teus planos! O Alex e tu deviam usar menos palavras, menos olhares, menos de tudo». Mas, claro está, fico em silêncio. Puxo a merda do fecho para cima. Puxo a merda do fecho para baixo.

Alex sai e diz que Nadia precisa de mais alguns minutos. Já se sente melhor, mas isso é o que pode acontecer quando se tem a pressão arterial baixa. Depois de desmaiar, tem de se levantar muito devagar.

— Se já acabaram o exame — diz-nos —, podem ir para o ginásio.

Pressão arterial baixa? Nunca lhe tinha acontecido isso. Terá dado um empurrão a Alex quando tocou nela? Terá sido ele a empurrá-la? Talvez Nadia tenha tido coragem para fazer o que todas ansiamos fazer.

Vou para o ginásio e concentro-me o melhor que posso, apesar de estar a reviver as imagens de Nadia a desmaiar, a saliva no queixo de Carla, se bateu ou não uma punheta a Karl, os tampões, o sangue, as lágrimas. Não encontro sentido para nada disso. Também não sou capaz de o ordenar. De modo que começo a repetir as coisas duas vezes, digo «ajuda» duas vezes, «Carla» duas vezes, «Nadia» duas vezes e faço abdominais e alongo os músculos das pernas em piloto automático. Quando Nadia e Carla começam a aquecer, já me sinto melhor.

Chegam as outras equipas. Enche-se o praticável. Tem de

começar a competição. Tem de começar a final. Portanto, apesar de sermos menos equipa do que nunca, apesar de nos sentirmos menos concentradas do que nunca, esforço-me ao máximo, faço o possível para ser uma pioneira e estar aqui agora. Quando chega a minha vez, também consigo uma pontuação elevada nas paralelas. Agradeço à minha raiva, mas, pouco depois, amaldiçoo-a, porque ela é a razão por que caio na trave olímpica. Magoo-me no tornozelo. Magoo-me no pulso. Espero que o tornozelo não esteja vinculado ao mesmo nervo do que a anca e que Alex não tenha de me o tratar da mesma forma.

Benedetta é o nosso ponto mais fraco e hoje também o confirma. Carla, por outro lado, está a ser uma ginasta diligente e talentosa, não há dúvida, mas acaba tudo aí. Não tem faísca. Não tem magia. Hoje, também não parece ser o anjo de Deus. Também não parece ser o Popeye. Hoje é apenas uma das boas raparigas.

— Sê a tua melhor versão — diz-lhe Rachele. — Por favor.

A sua voz parece mais um lamento. Ela também está a perder a sua faísca e a sua magia. Anna tenta ajudar-nos com a sua consistência mediana e diligente, mas todas temos falta de força, precisão e beleza. Nadia continua tão frágil que não podemos contar com ela, nem sequer devia estar a competir. E eu, ao fazer uma má receção sobre a mesa de saltos, começo a chorar.

— Raparigas — diz Rachele. — Sejam as vencedoras que são. Isto é um desastre.

Uma vez, numa competição em Sidney, as atletas não paravam de cometer erros na mesa de saltos e, a certa altura, quando muitas das raparigas já tinham caído de joelhos, perceberam que era a mesa de saltos que estava deslocada alguns centímetros. Talvez também esteja algo mal com estas paralelas romenas. Além disso, sou cada vez mais alta, e isso é horrível. Nadia tem o período, e isso também é horrível. Porém, e a altura de Khorkina, que sempre considerámos completamente perfeita? Pelo menos, até começar a chamar «mentirosas em busca de fama» a outras ginastas que denunciaram abusos. Mas todas ouvimos que Khorkina começara a treinar com um treinador que costumava bater-lhe e que, às vezes, não lhe permitia comer durante uma semana inteira. Apesar das sovas e da fome — ou talvez graças a essas coisas —, ganhou nove medalhas de ouro, oito de prata e três de bronze. Portanto, provavelmente, acha que valeu tudo a pena. Ou, pelo menos, imaginamos que essa é a lição que quer que aprendamos com ela. E hoje, quando todas parecemos estar a fazê-lo tão mal, também já não tenho a certeza do que precisamos. Mais sovas? Mais cuidados? Observo os elementos acrobáticos impecáveis combinados com as sequências coreográficas de Angelika no outro extremo do ginásio. O seu sorriso. A sua perfeição procederá do amor ou do ódio?

Vejo a equipa chinesa a acumular pontos. As russas também. Invejo-as e, ao mesmo tempo, sinto pena delas.

Chegado o meio-dia, alcançamos o quinto lugar e nenhuma de nós vence Angelika em nenhum dos aparelhos nem ao longo de toda a competição. Não chegamos ao pódio. Não chegamos a nenhum lugar decente. Ainda falta a final individual e a final geral, mas, como equipa, estamos acabadas.

Chegada a noite, além de o nosso clube ter ficado em quinto lugar, Nadia e Carla continuam sem se falar. A atmosfera entre elas é tensa. A atmosfera de todo o universo é tensa.

De volta ao nosso quarto, Carla e eu debatemos, fazendo cálculos para a final geral de domingo. Bom, debater não é a palavra; Carla fala e eu ouço-a. Está decidida a experimentar o *Produnova* na mesa de saltos. Se lhe chamam «Salto da Morte» é por alguma razão, pois é quase impossível controlar o impulso de uma pirueta durante um triplo mortal para a frente antes de fazer uma receção completamente às cegas.

— Antes paralítica do que perdedora. Consigo fazê-lo — diz-me, entre gargalhadas. — Martina, tu também consegues.

De vez em quando, Nadia vira-se na sua cama e sopra. Continua pálida, mal falou e não a vi a comer.

— O que aconteceu no quarto com o Alex? — pergunto-lhe.

— Nada — murmura. — Desmaiei.

— Estás obcecada com o Alex — reprova-me Carla. — Esquece isso.

— Mas olha para nós. Estamos mal.

— Não estamos — replica Carla. — Concentra-te em quão impressionantes podem ser os teus exercícios de solo. Precisas de pontos.

— É culpa deles — digo-lhe. — Tudo isto. Estão a enlouquecer-nos.

Nadia vira-se para mim e, a julgar pela forma como olha para mim, sinto que é a primeira vez que parece ter-me ouvido. A minha voz chegou até ao seu cérebro. Mas o seu grito de auxílio, o horror que vejo a aparecer no seu rosto, é tão vasto e tão sombrio que não consigo continuar a olhar para ela. Viro-me para a janela. Dirijo-me para lá e espreito para fora, onde as coisas talvez sejam mais fáceis. Vejo os ursos com casaco e espero que estejam a tratar de tudo. Pelo menos, melhor do que nós aqui em cima.

— Se a puta da Angelika perder e algumas das *superrobots* chinesas também perderem, ainda podemos conseguir — continua Carla. — Então, poderei aparecer no poster central da *Playboy*, tal como a Khorkina.

— Quantos anos temos de ter para podermos aparecer na *Playboy*? — pergunto-lhe, sabendo que é uma pergunta patética, mas estou a tentar puxar um assunto mais alegre. Que voltemos a ser raparigas que brincam. Que se importam com as brincadeiras.

E por essa razão, Nadia e eu, com olheiras, ficamos a olhar para Carla enquanto faz uma pose da *Playboy*, levantando a *t-shirt* por cima das suas mamas minúsculas para que se vejam melhor. Depois, deita-se e faz outra pose com as costas arqueadas como uma sereia. Tem os braços musculados e a pele coberta de nódoas negras. Deixa-se olhar com tal falta de pudor que eu sinto vergonha.

— Vou dar um passeio — anuncio. — Só até à máquina de venda automática e volto.

— Sei que me amas — diz Carla a Nadia, com crueldade. Nadia volta a afundar a cara no colchão. — Traz-me uma Coca-Cola — acrescenta Carla. — E tu procura uns movimentos mais fortes para a trave olímpica!

Penso nisso de Nadia amar a Carla. Acabara de levantar a cara do colchão e agora voltámos a perdê-la. Carla é uma idiota e dá-me a impressão de que sabe.

— Sabias que, se fizeres uma duche vaginal com Coca-Cola, não ficas grávida? — conta-me Carla.

— Poderias estar grávida?

— Mas que merda dizes, Martina? Traz-me uma Coca-Cola, ok?

Quando abro a porta, muda de pose. Vejo-a a baixar um pouco a *t-shirt* e a ficar ali deitada, a fingir que se aborrece. Depois, põe-se de gatas. Quando fecho a porta atrás de mim, ouço-a a chamar Nadia duas vezes.

Vou às máquinas de venda automática e compro Coca-Cola para nós e uma Fanta para a Nadia. Não comeu nada, portanto, precisa de um pouco de açúcar. Envio uma mensagem ao meu pai a dizer: *Continua a concentrar-te no domingo! Continua a ser o nosso dia de sorte, não é?*

Recebo a sua resposta numa questão de segundos. *No domingo, é a revolução. As cartas são favoráveis. Sorte! P.S.: beijos da mamã rata.*

No caminho de regresso, ouço barulhos procedentes do quarto de Anna e Benedetta. Música e gargalhadas. As Inúteis, as raparigas na sombra, têm os seus momentos de felicidade e, para isso, contam com uma banda sonora. O ambiente deve ser muito mais relaxante ali dentro do que com a Nadia e a Carla. Talvez seja porque, ali dentro, estão a salvo. Continuo a andar e chego até ao quarto de Rachele. A porta está entreaberta, portanto, espreito e, por cima da prateleira, vejo a sua maquilhagem e uns cigarros finos e brancos. Também a vejo refletida no espelho. Está sentada à frente da televisão, a comer uma barrinha de chocolate, e está a chorar. Então, vejo Alex, com uma toalha à volta da cintura e uma garrafinha do minibar nas mãos. Dirige-se para a porta e eu vou-me embora a correr.

De volta ao meu quarto, já teve lugar a primeira revolução. Estou tentada a ligar ao meu pai e a confirmar-lhe os seus poderes xamânicos. Agora, Carla está na cama de Nadia. Nadia continua com a cara afundada no colchão, mas Carla abraça-a por trás, como uma daquelas mochilas em forma de brinquedo de peluche que estavam na moda quando éramos pequenas.

Então, teria adorado ter uma mochila de urso panda, mas não tínhamos dinheiro suficiente. O meu pai tentou fazer uma com um desses bonecos de peluche que se ganham no tiro ao alvo das feiras, estripando-o ao tirar-lhe o recheio da barriga. Confecionou as correias com umas alças velhas e o resultado foi tão triste que a atirei para o caixote do lixo da rua à primeira oportunidade que encontrei e fingi que ma tinham roubado no ginásio. Alguns meses depois, encontrei-a de novo no nosso apartamento, escondida num saco com porcarias velhas.

— Não deves estar triste — está a dizer Carla a Nadia. — Se estiveres triste, não consigo respirar, nem pensar com clareza. Não consigo saltar, nem comer, nem dormir, nem nada.

A lista de coisas que Carla não consegue fazer se Nadia estiver triste é tão longa que o meu pé começa a ficar dormente. Deixo os refrigerantes na sua mesa-de-cabeceira e sento-me na minha cama.

— Vi a Rachele e o Alex a foder — digo-lhes.

— Não é verdade — responde-me Carla.

E percebo que não é.

— Vi o Alex sem roupa no quarto da Rachele.

— Estava totalmente nu? Com a pila dura?

Sinto-me como se fosse desmaiar. Preciso de ar.

— Tinha uma toalha à volta da cintura.

— Portanto, não os viste a foder. E também não estava nu.

— O que muda isso? Devíamos chamar a polícia!

— Porque talvez fodam?

— Por causa do que nos fazem! Porque te empenhas sempre em protegê-los?

— Protejo a equipa, as medalhas. Protejo-vos!

Olho para Nadia, à procura de um vínculo que não encontro. Volta a estar sob o feitiço de Carla. E estará para sempre. Conto até cem, até duzentos. Não acontece nada. Continuo a sentir o formigueiro do pé dormente, que começa a subir até à cintura, até aos pulmões. À língua. Aos olhos.

— Volta, meu amor — está a dizer Carla a Nadia. — Não percebes que, sem ti, fracasso?

Durante a pausa que sucede a seguir, apago a luz da minha mesa-de-cabeceira, decido esquecê-las para sempre e tento dormir. Se quiserem ficar acordadas toda a noite, por mim, tudo bem. Eu, certamente, não tenciono fazê-lo. Se não quiserem chamar a polícia e preferirem enlouquecer por completo, também está bem. E, se não acreditam em mim e nunca querem falar de Alex, também tanto me faz. Talvez possa examinar mentalmente os meus exercícios no praticável ou pensar em coisas da escola. Sim, coisas da escola. Inglês, por exemplo. *I am. You are. We are.*

— Volta, meu amor — repete Carla.

— O Karl — murmura Nadia. — Tem de desaparecer.

— Está bem. Quem raios se importa com o Karl?

Nadia vira a cara, molhada pelas lágrimas, e olha para a sua melhor amiga. Para o seu amor. A minha cama está às escuras enquanto a de Nadia está iluminada como um palco. Sou a única espetadora e nem sequer posso aplaudir.

— Serei friíssima, como o gelo — garante-lhe Carla, com uma certa euforia. — Nem sequer o cumprimentarei. Sempre foste tu.

— Gosto disso — diz Nadia, entre gargalhadas. — Para mim, também sempre foste tu.

— Taparei os olhos com as mãos cada vez que passar à minha frente. Fugirei cada vez que se aproximar, como se cheirasse mal. E não voltarei a dizer nenhuma palavra que comece pela letra «K». Não voltarei a dizer Karl. Nem *ketchup*. Nem Kafka... Nem Kukaku!

— Kukaku não significa nada — diz Nadia, rindo-se. — Kukaku não existe!

— Kukaku morreu! — grita Carla e começa a saltar em cima da cama.

— Está morto. O «K» está morto — sussurra Nadia.

Aninham-se por baixo do edredão, abraçadas, sem falar mais, ou talvez esteja finalmente a adormecer, com todos os *We are* e *You are* que estive a repetir mentalmente. Carla não poderá voltar a dizer Khorkina, se tenciona cumprir a sua promessa.

Mas decido que é melhor não mencionar esse ponto.

SÁBADO

Estão as duas a cuspir pela janela, de modo que sei que a situação está melhor. E sei que Angelika estará lá em baixo a correr. Nadia está a abraçar Carla, que parece ter voltado ao seu estado habitual. A saliva pende-lhes do queixo — como o rasto de um caracol, brilhante e branco —, e isso também conta como voltar ao seu estado habitual. O sol está enorme, de um amarelo fosforescente, e o meu coração pesa pelo menos cem quilos.

— Sabes qual é o único nome mais estúpido do que Angelika Ladeci? — pergunta Carla. — A verdade é que é tão estúpido que não me ocorre nada pior.

— É um nome de velha. E tem a letra «K», cuidado!

— Claro, essa letra está morta. Porque raios a usei?

Não me atrevo a mencionar que Angelika Ladeci parece o nome de uma ginasta que será recordada durante séculos. Um nome que está presente há anos e que durará para sempre. Angelika Ladeci. Ladeci, Angelika: imagino a sua página da Wikipédia com a lista de troféus que ganhou. Depois, todos os movimentos inventados por ela. Repito o seu nome e o seu apelido na minha cabeça até perderem o significado.

Visto-me e descubro uma mensagem do meu pai. *A mamã e eu estamos a contar as horas que faltam para a Geral! Para a tua competição e o teu regresso a casa. Aqui na Terra dos Ratinhos estamos bem.* Imagino o sol no nosso bairro, também chamado Terra dos Ratinhos, escondido por trás de uma névoa amarela estática. Imagino-os perdidos nessa névoa amarela, rodeados de ratos, ratazanas e lixo. Tento abraçá-los, mas, embora seja um abraço inventado, não consigo apertar com força e, em vez disso, tenho de olhar para o céu imaginário.

Antes de começar a viajar, costumava pensar que a cor natural do céu era um azul esvaído, que o sol estava sempre longe, tal como em casa. Mas, então, nas nossas viagens, comecei a ver o sol como o que realmente é e o que podia chegar a fazer, e o meu mundo em casa tornou-se mais sombrio. Até aqui, na gélida Roménia, o sol nasce mais limpo e maior, tão grande que parece que vai cair-me em cima. É tão colossal que é fácil entender quanto calor gera e porque nos mantém vivos. Ou mais ou menos vivos.

Escovo o cabelo, que é tão vermelho que dói. É um fogo ardente e consigo sentir o calor. Puxo o fecho para cima duas vezes, para baixo duas vezes, bebo dois goles de água e tento esquecer o meu cabelo e o calor que sinto no crânio, e o coque, que está sempre mal feito. Desenho um sorriso na cara e viro-me para elas.

— Vamos tomar o pequeno-almoço?

— És tão vulgar, Martina — responde-me Carla. — As pessoas sofisticadas dizem *petit déjeuner*. É assim que lhe chamam em casa da Anna.

— Embora a Anna não te convidasse — acrescenta Nadia. — Nem a nós. Carla, podes fazer-me uma massagem rápida no pescoço?

Quando éramos mais pequenas, costumavam convidar-nos muitas vezes para casa de Anna. Então, os convites cessaram. Acho que foi depois de Carla experimentar todos os sapatos da sua mãe e os deixar espalhados por aí para que a criada os apanhasse. Ou talvez tenha sido depois de Nadia e Carla se embebedarem com os licores da sala e praticarem a rotina de um dos nossos antigos campeonatos entre as escadas e a cave, partindo alguns jarrões pelo caminho.

— Lamento muito, meu amor — disse Carla. — Diz-me se te devemos alguma coisa.

Em casa de Anna, descobri como eram os tapetes a sério e que havia uma máquina de secar que não era uma máquina de lavar roupa. Soube da existência de quartos que não pertencem a ninguém, que permanecem vazios, com as camas feitas e os lençóis limpos, embora ninguém durma nelas. Imaginei uns fantasmas brincalhões, deitados por baixo dos edredões estampados, tapeçarias e mantas muito suaves. Deve ser estranho mudar uns lençóis que não se usaram, de camas em que ninguém dormiu. Quando o fazem? E porquê? Embora houvesse espaço para toda a sua família, e para mais pessoas, parecia sempre vazia. A sua mãe ia e vinha tão depressa que parecia uma daquelas capas mágicas que os magos usam, que estão vazias por baixo. Nunca vimos o seu pai, mas ouvíamos palavras como *diplomata* e *amiguinhas*. O tipo de palavras que, quando se juntam, explicam porque nunca o vimos e porque Anna o odiava.

A criada vinha e dizia-nos que o nosso lanche estava pronto, que tinham posto colchões no jardim para que pudéssemos praticar ou que era o momento do banho e que as bolhas estavam a fazer espuma. Anna gostava da criada, mas Carla não a suportava. Já naquela época, qualquer criada fazia-me pensar na minha mãe, mas Carla, descarada e mal-educada, limitava-se a ordenar-lhe que lhe trouxesse isto ou aquilo. Ou queixava-se de que tinha frio. Ou de que tinha calor.

— Criada! — gritava. — O que vais fazer para jantar para a Princesa Anna?

E Anna acabava a chorar. Mas os seus pais não estavam ali para a ouvir.

Na cafetaria do hotel, sentamo-nos com o resto da equipa. Rachele começa a sorrir assim que vê que Carla e Nadia voltam a ser amigas. Alegra-se por Carla, a nossa estrela, que já tem de novo a sua Nadia, mas sobretudo alegra-se por ela mesma. Portanto, começa a falar como se nunca mais fosse parar. De vez em quando, enquanto fala sem cessar, pisca um olho a Carla. Ou diz: «Estás de acordo, Nadia?». E Nadia vê-se obrigada a responder: «Sim, Rachele. Estou de acordo».

«Baixa um bocadinho o tom», tenho vontade de lhe dizer, como de costume. «Baixa um bocadinho o tom, treinadora, estão todos a olhar para nós. Falas muito alto, és má», mas a tagarelice já começou; a torrente de palavras que saem dos seus lábios pintados já é imparável.

«Ontem à noite, vi-te deitada à frente da televisão a comer chocolate e a chorar», gostaria de lhe dizer. «Vi-te com o Alex; ele estava nu. Portanto, apesar das tuas palavras e de todas estas gargalhadas, não confio em ti.»

Mas fico em silêncio. Em vez disso, volto a arranjar o cabelo.

— Disseram-me que, ontem à noite, havia três ou quatro lobos à frente do *hall* — está a dizer-nos agora —, portanto cuidem das vossas perninhas, raparigas!

— A Roménia está cheia de cães de rua — murmura Benedetta. — Dizem que há duzentos ou trezentos mil. Devem ser cães, não lobos.

— A Roménia é o principal bastião europeu de lobos e ursos — explica Anna. — Os lobos estão presentes numa área de

136

cinquenta e sete mil quilómetros quadrados e os ursos numa área de cinquenta e dois mil quilómetros quadrados. As áreas de distribuição das espécies abrangem vinte e cinco por cento do território romeno e localizam-se especialmente em zonas montanhosas e florestas.

Todas olhamos para Anna como se olharia para um louco ou para um extraterrestre. Em primeiro lugar, como sabe tudo isso? Em segundo lugar, nunca disse tantas palavras seguidas e muito menos a palavra *bastião*. Em terceiro lugar, sim, há lobos, então. Ficamos com a boca aberta, todas.

— Procurei na Wikipédia — sussurra, e fica toda vermelha.

— Procuraste e memorizaste — particulariza Carla. — As áreas de distribuição das espécies? Quem fala assim?

— Também diz que rasgam as suas presas, começando pela barriga, porque tem mais gordura — acrescenta Anna.

Ao ouvir a palavra *rasgar*, todas fechamos a boca, talvez porque isso é exatamente o contrário do que um lobo faria com um corpo morto. Abriria a boca. Agarraria uma mão. Um braço. A cara. Rachele tenta mudar de assunto e começa a explicar-nos como funciona o sistema centralizado desportivo na Roménia e que os atletas vivem juntos durante todo o ano. Começa a falar-nos das suas residências, dos beliches e da disciplina. Suponho que também possa fazer-nos uma lista de todos os seus champôs e de tudo o que comem.

— Disciplina a sério — diz-nos. — Entendem, meninas?

Chama-nos meninas uma ou duas vezes por ano. É como um prémio. E ali está, hoje, faz-nos a entrega desse prémio.

Entram alguns jornalistas na cafetaria, um indicador claro de que o dia mais importante da competição está muito perto. Tiram algumas fotografias, conversam com os treinadores, reparam em

Angelika. Depois, em Carla. Eu repito para mim «A revolução de domingo» e espero que, amanhã, algum deles também queira uma fotografia minha. Certificar-me-ei de escrever o meu nome num pedaço de papel, soletrando-o com clareza, para que tanto a imprensa espanhola como a chinesa possam usá-lo no artigo sobre os aspirantes olímpicos. O meu nome estará na boca de todos, em cartazes publicitários, aparecerá na rádio e poderão copiá-lo daí sem problemas. O «M» de Martina será tão grande como o do centro comercial.

— Martina — diz Carla —, vens connosco? Ou queres continuar a abarrotar-te?

Não quero continuar a abarrotar-me. De repente, sinto-me muito gorda, com a celulite de ruiva que se nota através do fato de treino. O meu cabelo transforma-se de novo em fogo, de modo que me levanto depressa e sigo-as. Rachele olha para mim como se dissesse «obrigada» e eu penso: «Tu não tens solução, Rachele. Para de sorrir. Para de fazer tudo». Devo pensar nisso com bastante força, porque de facto para de sorrir.

— Linda menina — diz Carla, quando me levanto. — Boa e valente.

Lá fora, o sol brilha com força por cima da neve, o céu resplandece e o ar cheira lindamente. Sou boa e sou valente. Sou Martina com o maior «M» do mundo. Olho para o hotel e vejo os ursos com casaco a retirar a neve com a pá, continuam a rir-se. Gosto deles, gosto da sua gargalhada, portanto, eu também me rio.

— Estás louca — diz-me Nadia. — Mas no bom sentido.

— Lembras-te de quando a Martina era pequena e só sabia fazer a pirueta para a esquerda? — pergunta-lhe Carla. — Dizia que era uma questão de ordem. Quem sabe o que significa isso.

Têm lembranças minhas de quando era pequena, lembram-se das minhas piruetas para a esquerda, portanto, aumento mais o meu sorriso. Quero dizer-lhes que não significava nada. Que me parecia estranho e terrível começar pela direita. Tentei enganar-me a mim mesma muitas vezes para conseguir fazê-las. Piruetas laterais para a direita a modo de penitência, piruetas laterais para a direita a modo de desafio. No fim, decorrido um ano inteiro a tentar, finalmente, consegui. Talvez agora volte a não conseguir fazê-lo, só porque o mencionaram. Levanto o olhar e vejo que Karl nos observa de uma janela. Cumprimenta com a mão de forma exagerada.

Corremos mais depressa.

Enquanto atravessamos a ponte, paramos para ver os carros a passar a toda a velocidade pela estrada por baixo. Cuspimos-lhes, rimo-nos e chegamos ao pavilhão gimnodesportivo de bom humor, apesar de todas as nossas nódoas negras. Apesar de todas as nossas vidas, da fome, de toda a nossa dor. À frente do edifício há pássaros e alguns dos duzentos ou trezentos mil cães de rua a comer dos caixotes do lixo.

— Que nojo! — diz Carla. — Devíamos dar-lhes de comer a ginasta que tem de morrer.

— Os pássaros não são vegetarianos? — pergunto. Mas, então, recordo um documentário em que uma águia comia peixes, serpentes e outros pássaros.

— Quando crescer, quero saber muitíssimas coisas — diz Nadia, agarrando a mão de Carla.

— Como o quê? — Carla olha para a mão de Nadia e sorri.

— Como funcionam as cidades. Ou de onde sai a luz, porque temos tubagens. Ou como as paredes se mantêm em pé. Gostaria de saber como se constroem as pontes. Todas as coisas que damos por certas. Os mecanismos ocultos. A matemática das coisas.

— A matemática das coisas? — repete Carla, rindo-se. — Dois e dois são quatro. Dez e dez são vinte.

— Como de que mistura é feito o pavimento? Ou a nossa respiração? — pergunto eu.

— Sim, isso — confirma Nadia. — E as estrelas. E a água. E os nossos corações. O amor.

— E também queres saber como se fazem os bebés, não é? — diz Carla, entre gargalhadas.

— Quer saber como e quando o vento muda de direção — digo eu. — E o que acontece ao teu cérebro quando gritas.

— Como funciona a escuridão — acrescenta Nadia. — Ou o vazio.

— Tudo isso aparece no Google — responde Carla. — Não tem nada de especial.

Solta a mão de Nadia e esta perde o brilho no olhar.

— Ai! — queixa-se. — Estragaste a magia.

Sim, estragou a magia.

É tão cedo que o pavilhão gimnodesportivo parece deserto. Percorremos os corredores de tetos altos e luzes ténues e entramos no primeiro ginásio, que continua às escuras. As argolas pendem sobre as nossas cabeças. O eco dos nossos passos ecoa na quietude do espaço. Enquanto o atravessamos para chegar até ao nosso lugar, ouvimos a equipa chinesa no segundo ginásio. Seca. Rápida. Terrível.

— Malditos cães — diz Carla, apertando os dentes.

Sei que está zangada porque acha que ela é diferente, mas sei que eu estou zangada porque somos todas iguais. As romenas. As chinesas. As francesas. As italianas. Raparigas do mundo.

Avançamos em direção ao barulho e aos gritos. Também ouço alguém a chorar, de modo que olho para Nadia e para Carla. É evidente que elas também o ouvem. Tenho os pés de madeira, de pedra, de cola. De todos os erros que nos trouxeram até aqui.

— Vamos ver? — sussurra Nadia.

— Não sei — respondo. — Se nos virem, matar-nos-ão.

— Melhor dizendo, se as vires, suicidas-te — diz Carla. — Terás pesadelos durante um ano inteiro.

Carla e eu olhamos. Cerro os dentes e sinto náuseas imediatamente.

Os gritos procedem de duas raparigas e de dois rapazes. A cara do seu treinador, de pé à frente deles, jorra suor e tem rugas grossas na testa, como cortes. Assim deve ser a cara de alguém que está prestes a sofrer um ataque de coração. A cara daquele mítico treinador, Florin, devia ser exatamente assim. A cara de Alex quando tem o pénis duro também se parece bastante.

Nadia abre caminho entre nós, para que as três possamos ver. Colo-me a elas, enquanto as raparigas chinesas levam pauladas nas costas e os rapazes as levam no peito. Sinto a sua dor. Um corpo, um coração. Uma grande paulada em todos os nossos peitos. Uma grande paulada em todas as nossas costas. Sinto-a na barriga, mas também nas partes onde o bastão aterra e, se a cara do treinador for a de alguém que está prestes a morrer, por favor, que aconteça neste preciso instante.

O treinador põe-nos na posição do pino ponte e começa a dar-lhes pontapés nos pés e nas mãos para que caiam. E claro que caem. Pino ponte, pontapé, queda. Pino ponte, pontapé, queda. Ouvimos o som da respiração entrecortada e ofegante, o barulho dos pulmões ao bater contra o chão. Vejo as suas pontuações magníficas no quadro ao longo da última semana. Depois, outra vez o bastão.

— Porquê? — pergunta Nadia.

— Devem ter feito alguma coisa mal — respondo.

— Espevita — diz Carla. — É assim que treinam sempre. É assim que são bons atletas.

O treinador vira-se para a porta. Tem a testa encharcada e continua a gritar. A expressão do rosto dos seus ginastas não se altera apesar dos gritos, das quedas e das pauladas. O treinador deve ter o cérebro prestes a explodir. Fica ainda mais vermelho enquanto torce o braço de um dos seus atletas.

— Este homem tem de morrer — diz Carla. — Têm de morrer todos.

Nadia olha para ela e sei que começou a ver coisas. Agora, na sua cabeça, esse homem morreu.

Um dos rapazes cai ao chão. O treinador corre para ele tão depressa que acho que vai dar-lhe um murro. Em vez disso, obriga-o a fazer o pino e, assim que alcança a posição vertical, empurra-o para o chão. Outro pino. E outra vez para o chão. Fá-lo umas vinte vezes, talvez trinta.

— Como vão conseguir competir hoje? — pergunto.

— Talvez isto seja exatamente o que acham que precisam antes das competições — responde Carla.

O rapaz olha para nós. Eu fecho os olhos com a esperança de desaparecer. Com a esperança de mudar a cortina de fundo da minha vida e desaparecer daqui. Mas volto a abri-los e o rapaz, agora a fazer o pino, continua a olhar para nós, e eu não estou em Los Angeles, nem em Banguecoque. Com os olhos muito abertos e as costas muito direitas, mesmo à minha frente. Esboça-me esse tipo de sorriso que alguém dedica aos juízes. Amplo, perfeito. E sorri ainda mais. Até nos irmos embora a correr.

Quase sem ar, chegamos ao ginásio principal e tiramos o fato de treino. Metemo-lo nas nossas mochilas e escondemo-las por baixo dos bancos. Quando me endireito, vejo Carla a beijar os olhos de Nadia. Olha para mim.

— Tu também te assustaste, Martina? Precisas de um beijo?

Assinto, portanto, abraçam-me. E beijam-me os olhos. Escapo delas o mais depressa que posso e começo a dar voltas ao ginásio a correr. Noto que a respiração me leva oxigénio até aos joelhos, me enche o peito e me relaxa os ombros. Aumento a velocidade, o meu coração também o faz, e sinto a velocidade no sangue. Em seguida, Carla e Nadia já estão a correr perto de mim. Começamos a saltar, a fazer exercícios de flexibilidade e, quando Anna e Benedetta chegam, juntamente com Alex e Rachele, já estamos num estado de concentração plena, dentro das nossas cabeças, umas boas raparigas a fazer os seus exercícios. A imagem de um treinador chinês enfurecido não pode destruir-nos. E, na verdade, nada pode tocar em nós. Aquecemos, temos as costas encharcadas de suor, a adrenalina circula pelas nossas veias. Já apagámos tudo o que é mau do nosso disco rígido. Acendem-se as luzes, fazendo um clique forte, as outras equipas ocupam as suas secções do ginásio e assim começa o dia.

— Adoro a ginástica — diz Carla.

E rimo-nos porque é verdade. Continua a ser o nosso sonho.

Quando Karl entra, estamos na mesa de saltos e o público já encheu as bancadas para a final individual, onde os melhores ginastas competem entre eles para ganhar medalhas em cada aparelho. Apesar das nossas posições, Carla deve ter percebido que entrou, talvez com as omoplatas, porque estou mesmo à frente dela e vejo que a cara dela muda. A cara de Nadia também muda, mas nenhuma delas cede à tentação de olhar para ele.

Eu sim, porque posso. Karl está triste. É bonito, baixo, e está triste.

Vejo-o a fazer exercícios nas argolas e a sua execução é impecável. Tem os braços direitos e fortes. Olho para as mãos dele e lembro-me de o ver a acariciar as pernas de Nadia e de Carla. Fica muito claro porque alguém quereria fugir com ele de noite para ver uma Roménia que parece Paris, e porque é tão difícil deixar de desejar essas mãos, esses olhos. Olho para Carla, que agora está a aquecer nas paralelas, totalmente concentrada para o seu dia como campeã. Fica em silêncio e, pela primeira vez em anos, Nadia parece ter pleno controlo sobre o seu corpo. Agora que recuperou Carla e que Carla já não pode pronunciar a letra «K», parece calma. O seu queixo aponta para cima e estou convencida de que, a partir de hoje, o seu coração também adquiriu uma forma nova.

Talvez a forma da lua.

Karl está a observá-las, sobretudo a Carla, sempre que pode. Tenho a certeza de que não entende o que há entre Nadia e ela. Nem o que o expulsou da equação. Como haveria de entender? Como haveria de entender o seu único corpo e o seu único coração, o cocó amarelo e a sua decisão sobre a letra «K»? Nem sequer sabe que partilham a cama desde que tinham quatro anos, nem que têm uma magia particular que é de importância vital para toda a equipa. É incapaz de entender que nada pode interpor-se entre Nadia e Carla sem acabar esmagado. E, se não sabe nada disso, como ia entender que Nadia se transformou na chefe da noite para o dia? A que impõe as regras. Quem temos de agradar e cujo coração adotou agora a forma da lua. Se se reparar com atenção, Karl não é tão bonito quando está triste, o que, por si só, é interessante. Tem os ombros caídos e os olhos ligeiramente inclinados para baixo. Ainda odeio a Rachele por me dizer: «Sorri, Martina, que ficas mais bonita», mas agora entendo, graças ao facílimo exemplo da cara tristíssima do tristíssimo Karl.

Carla está tão segura de si mesma que convence Rachele a acrescentar o *Produnova* na mesa de saltos. Imagino-a paralítica — é melhor isso do que ser uma perdedora, segundo as suas próprias palavras —, mas não temos tempo para imaginar a sua vida numa cadeira de rodas, porque já está a executar o seu salto com tanta elegância que parece que tem asas. Os espetadores nas bancadas respondem com suspiros de espanto e um grande aplauso. Entre a multidão, as meninas pequenas que querem ser como nós e vieram com os seus pais e amigos estão todas espantadas. Noutra época, eu também fui uma daquelas meninas.

— Adoro a ginástica — repete Carla.

E todas o repetimos também.

Com a sua pontuação de 15,6 na mesa de saltos, fica em segundo lugar atrás de Angelika e conquista a prata no pódio. Eu olho para elas do oitavo lugar e tento sentir-me orgulhosa de mim mesma, até ali, onde não se entregam medalhas, mas os sorrisos continuam a ser necessários. O oitavo lugar para mim é fantástico, digo-me. «Adoro este oito», repito. E adoro a ginástica.

Carla fá-lo na perfeição nas paralelas, tão precisa e tão rápida que consegue a terceira posição no pódio. Sorri. Acena. Tanto Nadia como ela fazem uns exercícios de solo fantásticos. Obtêm pontuações de dificuldade altas e a sua execução é impecável. Mas Carla volta a ficar em segundo lugar e Nadia em terceiro. Angelika, com a sua ginástica que é a beleza e a magia em si mesma, fica sempre no mais alto.

— Que se foda essa puta — ouço Carla a dizer, olhando para Angelika. — Quero-a fora da minha vida.

Recompõe-se e vai com Nadia para a trave olímpica, segura de si mesma e otimista, possivelmente até ao fim dos tempos, ámen. Mas, por muito bem que o façam na trave, não conseguem vencer a Angelika. E a sua raiva é tão imensa que, mesmo apesar de eu também o fazer muito bem na trave e sentir a alegria nos pés — e apesar de ter as mãos e os ombros fortes e conservar uma posição elegante —, ninguém percebe. Não há tempo para reconhecer o meu mérito nem a mediocridade da vida. Digerimos rapidamente as pontuações dececionantes de Benedetta, uma atrás da outra, e tentamos alegrar-nos por hoje, nas provas individuais, a sua presença não afetar a equipa. Hoje, competimos por nós próprias em todos os aparelhos e ganhamos ou perdemos por nós próprias em todos os aparelhos. Enquanto Carla aguenta as lágrimas no pódio ao receber a sua medalha de bronze, eu acabo em quinto lugar num campeonato internacional pela primeira vez na minha vida e, pela primeira vez desde que chegámos à Roménia, Rachele dedica-me um sorriso genuíno. Mereço um sorriso. Sou forte. Também posso ser bonita. Sou a pioneira do meu presente e do meu futuro.

Quando já todas acabámos, ficamos no ginásio um pouco mais, para ver as notas finais das outras equipas. Vão aparecendo no quadro uma atrás da outra, uma respiração atrás de outra.

— Puta — diz Carla, vendo como Angelika ganha as suas três medalhas de ouro e uma de prata. — Puta, ordinária, cabra.

Mas, de qualquer forma, conseguimos festejar as suas duas medalhas de prata e as duas de bronze, e conseguimos abraçar Nadia pela sua medalha de bronze nas paralelas. Para não nos obcecarmos com a Angelika, também decidimos odiar para sempre algumas raparigas chinesas que nos roubaram o lugar no pódio e, pela mesma razão, desprezamos uma húngara. Também me abraçam, pela minha boa pontuação na trave olímpica e pela minha execução geral sólida. As Inúteis fracassaram inutilmente, mas não o fizeram tão mal como as espanholas e isso, por hoje e talvez para sempre, é mais do que suficiente.

— Adoro-vos, raparigas — diz Rachele.

— E nós a ti — dizemos-lhe todas.

Depois do almoço, vamos tomar um banho de gelo. À tarde,

não temos treino, para não estarmos demasiado cansadas amanhã na final geral. Nadia e Carla entram juntas na banheira enquanto eu me olho ao espelho. Se hoje quase consegui, amanhã serei espetacular? Ou fracassarei e o máximo a que poderei aspirar na vida será a ficar sempre na quinta posição?

— Podes pôr-te no gelo se estiveres com o período? — pergunta Nadia.

— É claro — responde Carla. — Embora talvez o sangue se transforme em gelo!

Murmuram um *brrr* por causa do frio e dizem alguns palavrões enquanto se sentam na banheira, com os dentes cerrados.

— A China está mais forte do que nunca — comenta Carla.

A estas alturas do filme, já só podemos falar da competição. Avaliamos, estimamos. Odiamos e amaldiçoamos. Elogiamos e insultamos, calculamos e desejamos. A forma como se calculam as pontuações mudou tantas vezes que as contas se complicaram bastante. Portanto, Nadia e Carla começam a trabalhar nisso.

— Tenho de ter um 14,70 em todos os aparelhos — acrescenta Carla. — 14,90 para alcançar a glória.

— Eu tenho demasiada concorrência na trave olímpica. E tenho medo de ficar paralisada.

— Tenho de destruir essa puta. Não consigo livrar-me dela, foda-se!

— Khorkina: Campeã mundial nas finais gerais de 1997, 2001 e 2003. Campeã europeia em 1998, 2000 e 2002. — Nadia começa a recitar todas as vitórias e pontuações de Khorkina como se os números fossem um poema. Um mantra. Uma rima.

— Porque raios dizes isso? O que se passa com não usar a letra «K»?

Ao olhar para a minha cara no espelho, vejo algumas borbulhas e algumas rugas novas por baixo dos olhos. Imagino-me quando for velha, a chegar aos cem anos. Mordo os lábios, porque Carla nos disse que é uma forma excelente de os humedecer e de os fazer parecer mais carnudos, mais suaves e mais vermelhos. É um bom truque. Faço umas tranças no cabelo enquanto elas esfregam a cabeça e o pescoço com gelo. O pior do frio já deve ter passado, se são capazes de brincar com os cubinhos. As costas são a parte do corpo que mais dói com o gelo. Depois, vem a cabeça. Depois, vem o prazer.

— E se cortar o cabelo? — sugiro.

Nunca antes tinha pensado nisso. Também não tinha pensado que pudesse cortar o cabelo sem a minha mãe.

— Grande ideia! — exclama Carla.

Em apenas um segundo, sai da banheira, embrulha a cintura com uma toalha e tira uma tesoura da sua bolsa de maquilhagem. Tem os mamilos erguidos, mesmo sem o tratamento da fita-cola. Senta-me na sanita e Nadia observa-nos com um meio-sorriso.

— Como o queres?

— Curto — respondo.

Carla corta-me as tranças sem hesitar. Sorri, portanto, eu também sorrio e observo o meu cabelo no chão, ainda vermelho, embora já não seja meu. E já não esteja a arder. Demorei anos a deixá-lo crescer e, em menos de um minuto, decidi livrar-me dele. A vassoura que a minha mãe usa no cabeleireiro varrê-lo-ia do chão da casa de banho num abrir e fechar de olhos.

Carla continua a cortar e, chegado a este ponto, já não há nada que eu possa fazer. Nadia sai da banheira e pergunta se também pode cortar. Não suporta que Carla toque noutra pessoa e eu percebo.

— O que pensas, Martina?

— Por mim, está bem — respondo.

— É como um pacto de sangue — diz Nadia. — Mas com cabelo.

Agarra na tesoura e põe mãos à obra. Carla acaba de pôr creme nas mamas minúsculas, nas pernas magoadas e no rabo. Escova o cabelo, que agora me parece compridíssimo e valiosíssimo e, de vez em quando, aproxima-se para fiscalizar a operação. Nadia está a cortar muitíssimo devagar. Sinto que as pontas da tesoura me acariciam o couro cabeludo, depois o barulho do metal ao fechar-se e um cabelinho muito curto que me cai sobre os ombros.

É um movimento terno. Gosto.

Quando já acabaram, sacodem-me o cabelo do pescoço com um pincel de maquilhagem. Dão um passo atrás para me observar, inclinam a cabeça, primeiro para a direita e depois para a esquerda. Fico a olhar para elas com a esperança de ver um sorriso. Mas tudo parece acontecer em câmara lenta quando vejo que pestanejam.

— E então? — pergunto.

Acho que Rachele vai matar-me. Todos repararão na carecada que Carla e Nadia me fizeram. Parecerei uma louca e, provavelmente, porão fotografias da minha cabeça de louca na Internet. Seja o que for que faça nesta vida, qualquer que seja a minha cortina de fundo, Vietname ou Laos, as pessoas saberão. Lembrar-se-ão. «Aquela é a ginasta louca, não é?», dirão. Toco no nariz duas vezes, mas não o sinto por baixo das pontas dos dedos. À terceira, o nariz já volta a estar no seu lugar.

— Estás muito bonita — diz-me Nadia.

— Linda — confirma Carla. — Como uma superestrela.

Olho-me ao espelho enquanto Nadia passa os dedos pelo meu cabelo eriçado. Tremo, porque não distingo nenhuma superestrela ali. Nunca vi uma rapariga com o cabelo tão curto como o meu e provavelmente haverá uma razão. Toco nele e faz-me cócegas na palma da mão, como a alcatifa bege de casa, que me faz cócegas nos pés. Não estou bonita e o meu nariz parece dez vezes maior. Oxalá tivesse desaparecido a sério, por muito que o procurasse com os dedos. Quero contar à minha mãe, imediatamente. Também quero dizer-lhe: «Se calhar, se também cortares o teu, deixarás de sonhar que tens cabelo na boca».

Os olhos enchem-se de lágrimas.

— Porque choras? Mudaste de opinião? — pergunta-me Carla.

— Claro que não. Adoro.

Não o suporto.

— E nós adoramos-te — diz Nadia.

O mais provável é que também não me suportem.

— Assunto resolvido — declara Carla.

E mais uma vez, fingimos que, só porque alguém decide que um assunto está resolvido, está realmente.

Às sete, vamos para a nossa sessão de fisioterapia e agrada-me perceber que o meu novo cabelo faz com que me sinta mais segura. Mais forte. De modo que entro no campo de batalha com uma determinação renovada. A da guerra. E, com o tempo, a da paz.

— O que aconteceu? — pergunta Alex, ao ver o meu crânio rapado.

Deito-me de barriga para baixo. Ele pega no creme. Fecham-se-me os pulmões e desaparece o ar do quarto. Põe creme nas palmas das mãos. A amplitude da minha dor é tão enorme que, de repente, percebo o seu poder. Com um grito, poderia partir as paredes. Com a minha agonia, poderia fazer com que o hotel inteiro se desintegrasse e ficasse reduzido a escombros. Depois, encarregar-me-ia do resto do mundo.

— Queres falar disso? — pergunta-me.

— Cala-te — respondo.

Enquanto o ouço a massajar as mãos, a passar o líquido bran-co de uma para a outra, respiro fundo e desligo, suponho que este-ja a preparar-me para a apneia. Dentro de dois segundos, essas mãos tocarão no meu corpo. Um segundo. Sinto que a pressão vai au-mentando no meu crânio. O meu diafragma fica tenso.

— Relaxa — diz-me. — Está tudo bem.

— E uma merda. Que te fodas — digo-lhe.

Levanto-me. Olho para ele, enfrentando o monstro cara a cara. O quarto mexe-se. A cabeça dá voltas. Com a respiração, deixo es-capar o meu terror e o seu terror, a minha dor e o seu horror, sem baixar o olhar nem uma única vez.

— Que te fodas! — grito, de novo.

— Martina — diz ele.

Nunca mais voltarei a ouvi-lo. Nunca mais pode voltar a dizer o meu nome. Afasto-me, fecho a porta e fecho o meu coração, com a certeza que nunca mais voltará a tocar em mim. Se o fizer, ma-tá-lo-ei.

Vou diretamente para a reunião individual que tenho progra-mada com a Rachele. Quando nos alojamos num hotel, convo-ca-nos uma por uma para o seu quarto, onde muda o móvel da televisão para que pareça uma secretária de escritório. Põe uma ca-deira de cada lado e convida-nos a entrar, dizendo: «Entra. Fico muito contente por poder ver-te a sós por uns minutos». Mas hoje, quando entro, fica gelada. Não tem guião. Apaga-se o sorriso da cara ao levantar-se da cadeira.

— O que fizeste ao cabelo?

— Cortei as pontas?

— Martina, isso não são as pontas, destruíste-o. Foi a Carla?

— Fui eu.

Fica em silêncio durante uns segundos. Não entendo se sente

pena de mim ou se está prestes a zangar-se e a gritar. Seja o que for que vier a seguir, consigo suportá-lo. Seja o que for, a minha agonia pulverizá-lo-á, portanto, a dúvida não me inquieta em excesso. Vejo o bastão do treinador chinês e imagino que o dá a Rachele para que me bata. Depois, imagino-me a mim a bater-lhe a ela. Concentro-me nas suas coxas gordurosas e espero que não desate a chorar. As emoções são o pior.

— Sinto-me melhor com o cabelo curto — explico.

Ao ver que continua sem dizer nada, repito-o, desta vez, em voz mais alta:

— Sinto-me melhor com o cabelo curto. E sinto-me mais forte.

Forte é a palavra adequada para empregar com ela. Mesmo que talvez tenha feito uma estupidez, amanhã tenho a minha competição mais importante até à data e, se cortar o cabelo faz com que me sinta mais forte, então, terá de me apoiar. Na segunda-feira, já poderá repreender-me. Também poderá dizer-me que sou estúpida, tola e horrível. Mas agora tem de me dizer que sim, que pareço mais forte e que acredita em mim.

Olha-me com atenção. Aproxima-se e estuda o cabelo da minha nuca.

— De trás fica muito mal. Como se alguém te tivesse comido o cabelo.

Rebusca alguma coisa na casa de banho e, então, sai com uma tesoura para as unhas. Penso nas unhas dos seus pés, duras e um pouco amareladas. Penso na sua pele quando me abraça, no cheiro que deixa. Humedece-me a cabeça com água da torneira e arranja-me o corte de cabelo o melhor que pode.

— É verdade que pareces forte, Martina.

— Sinto-o. E também me sinto mais segura.

Para. Ambas sabemos a que me refiro. Mas, mais uma vez,

decide não me fazer caso. Ou dizer alguma coisa em voz alta. De repente, questiono-me se realmente foi às altas esferas e contou tudo sobre Alex, pergunto-me se ela também estará à espera que aconteça alguma coisa. Talvez até tenha ido à polícia, mas, por alguma razão estranha, a polícia tenha ficado do lado de Alex. Dessas razões que se encontram no Twitter: grupos secretos de pedófilos que ocupam cargos de poder, e o FBI, o Vaticano e a Casa Branca fazem parte disso.

— É bom que te sintas forte e segura — murmura. — É fantástico, na verdade. Amanhã, terás de o recordar. E lembra-te de que consegues fazer tudo se realmente o quiseres.

Ouço-a e sei que repetirá essa mesma frase à equipa até às oito desta noite. Sei que ela também voltou ao seu guião e quer ajudar-nos a dormir, a competir, a estar serenas. A ganhar. Também sei que, quando acabar o dia, chorará, comerá demasiado chocolate, beberá demasiada vodka, porque ao fim e ao cabo, nunca foi uma campeã, fracassou em tudo, portanto, estas palavras não funcionaram para ela.

— A Carla e a Nadia foram amáveis contigo esta semana?

— É claro. Muito amáveis.

— Porque discutiram?

— A verdade é que não sei.

— Viste-as a fazer as pazes?

— Não.

— Importas-te de falar disso?

— É uma chatice.

Rachele engole o meu desplante e eu passo as mãos pelo meu cabelo de rapariga forte.

Amanhã é domingo e o domingo é o primeiro dia da revolução. Serei limpa e precisa nos exercícios. Não cairei da trave olímpica, nem terei medo. Agarrarei os banzos das paralelas assimétricas com força e executarei movimentos de balanço contínuos impecáveis, com mudança de banzo e de pegas e com largada de banzo e retorno. Quando acabar a minha sequência perfeita, sorrirei e derramarei uma única lágrima enquanto passo a mão pelo cabelo curtíssimo. Pelo crânio fortíssimo. O gesto, essa carícia no crânio, com a cabeça deitada para trás e os olhos a olhar para as luzes de néon, transformar-se-á no meu novo truque de magia. Na minha marca de identidade. Passei séculos à procura de uma.

Quando éramos pequenas, fazíamos competições em colchões dispostos longitudinalmente. Em fila, um atrás de outro. Os exercícios de solo não incluíam sequências acrobáticas. Passávamos os domingos em maiô e ténis, a beber refrigerantes e a comer batatas fritas. Havia sempre máquinas de venda automática nos ginásios e nós gostávamos muito, embora, então, também fosse proibido engordar. Às vezes, a minha mãe vinha e, às vezes, trabalhava ou ficava a dormir. Quando vinha o meu pai, eu não olhava para ele como as outras raparigas olham para os seus pais antes de uma competição. Os pais de Carla vinham sempre e os pais de Nadia, bom, a sua única figura paterna, que era a sua mãe, quase nunca vinha. Nadia costumava dizer que a sua mãe se alegrava por as competições se fazerem ao domingo porque assim podia passar pelo menos um dia inteiro da semana sem ser mãe. Aos domingos, convidava as suas amigas para casa ou saía para andar de mota com o seu grupo e fazia coisas divertidas, que desde que cometera o erro de ter Nadia tão jovem, e Nadia ainda era pequena, já quase não podia fazer. Aquilo ensinou-nos que ser mãe não é necessariamente bonito e que é possível desejar afastar-nos o máximo possível dos nossos filhos. Mas também nos ensinou que algumas mães têm grupos de amigos e andam de mota, bebem cerveja e riem-se a sério.

154

Uma vez, a mãe de Nadia veio ver-nos a competir e Nadia não o fez tão bem como de costume. Estava a recuperar de uma tendinite no pé esquerdo. Nos meses anteriores, tínhamos treinado sem descanso e cada uma de nós reagira de forma diferente aos castigos que os nossos corpos suportavam. Benedetta e Anna, por exemplo, tinham começado a tomar laxantes para perder peso. Carla experimentara o seu primeiro *twisties*: desorientara-se enquanto executava um salto mortal, o que nos aterrorizou. Caterina sofrera todas aquelas fraturas e abandonara a equipa. Eu começara a fazer as coisas duas vezes, e assim sucessivamente.

A mãe de Nadia ficara igualmente impressionada porque há séculos que não via a sua filha a fazer ginástica. Não acho que soubesse realmente o que significava e representava fazer ginástica. Não percebia como Nadia se tornara boa e quão complicadas eram as suas habilidades. Entrou no balneário enquanto estávamos a tomar banho, deu-nos os parabéns e, enquanto eu tirava o champô do cabelo, vi lágrimas de felicidade nas faces de Nadia. Ou talvez tenha sido apenas a água do duche.

— São todas tão pequenas — disse a sua mãe, olhando para nós por baixo dos jorros do duche. — E tão bonitas!

Disse-o como se acabasse de ver uns cachorrinhos. Nadia vestiu-se e sorriu porque estava um domingo lindo e era pequena e bonita. Também era boa e recebia muitos elogios. A sua tendinite ia melhorando, e agora que a sua mãe fora vê-la, tudo valera a pena. Carla acomodou-se no colo da mãe de Nadia para que lhe escovasse o cabelo e Nadia escovou-o sozinha. Eu senti ciúmes. A sua mãe era muito bonita e também teria gostado de me acomodar nos seus braços. Era tão bonita que, durante semanas, albergeui a esperança de que regressasse. Mas nunca o fez.

Antes de jantar, ligamos para casa. Para ser exata, enviamos três

155

mensagens das nossas três camas ao mesmo tempo para as nossas mães ou pais e, uns segundos mais tarde, os telemóveis tocam, cada um com a sua própria melodia. O meu dá-me vergonha, é o tema de uns desenhos animados do Mickey que via quando tinha uns oito anos e que agora, por pura superstição, não me atrevo a mudar.

— Aqui está a chover — diz-me o meu pai.

— Aqui está a nevar.

— Como estás?

— Gosto da Roménia. Estou bem.

— Voltaram a sair desde a ida ao centro comercial?

— Estivemos ocupadas a treinar.

— Esta noite, vamos mimar-nos e vamos ao cinema.

Sei que está a mentir, mas não quero que perca a ilusão. Respiro fundo. Expiro. Terá de inventar uma trama falsa e umas críticas falsas para o filme falso.

— Amanhã — diz. — O domingo da revolução!

— Achas que já estive na Roménia numa vida anterior? — pergunto-lhe. — Sinto-me bem aqui.

— Teremos de consultar as cartas — responde, entre gargalhadas. — Mas o meu instinto diz-me que sim, certamente.

— Era o que me parecia. Veremos os vídeos juntos quando regressar, está bem?

Antes, passávamos noites inteiras em casa e, às vezes, tardes inteiras no ginásio, a ver os vídeos das competições. Cada vez que me vejo, volto a ter medo de cair, como se já não soubesse o resultado. Imagino que torço o pescoço contra o chão e que têm de me levar na maca.

— Olha, que pernas tão rechonchudas — dizia Carla, sempre que se via no vídeo. — Assim que acabarmos a ginástica, temos de ir imediatamente fazer uns arranjinhos!

— Poderão esticar-nos para sermos mais altas? — perguntava Nadia.

— E pode haver câmaras a filmar-nos enquanto se modifica a nossa altura e o nosso peso. Mas é demasiado tarde para combater a osteoporose.

— Ia aparecer de qualquer forma quando chegássemos ao cinquenta. O que importa tê-la aos catorze?

Já desde o começo, quando Carla treinava ou quando algum exercício não corria como ela queria, sempre foi a mais diligente de todo o ginásio. Não falava, mantinha a cabeça baixa e o queixo apertado. Era capaz de repetir a sua sequência mais vezes do que as outras, como se não pudesse ir-se embora nessa terça-feira, nessa quarta-feira, sem se ter esforçado ao máximo e sem ter encontrado uma solução para o problema. E no dia seguinte, nunca se sentia cansada, apesar do esforço que fizera. Começava outra vez do princípio, descansada e atenta. Com a cabeça baixa, os abdominais apertados, os olhos concentrados.

— Linda menina — diziam-lhe sempre Rachele e os outros treinadores. E Carla dizia que sim com a cabeça.

Sabia que era uma boa rapariga.

Hoje, jantamos tão cedo que ainda nem sequer escureceu. Rachele faz-nos um discurso de equipa e, por um segundo, preocupa-me que vá dizer «ámen» no fim. Graças a Deus, não o diz, e serve-se de uma cerveja. Vejo-a a levantar um copo para os outros treinadores. Alguns retribuem o sorriso, mas provavelmente todos a acham patética. Alex está a falar com outro fisioterapeuta sobre alguma coisa que leu. «*Overtraining*», parece-me ouvi-lo dizer enquanto vejo os juízes sentados sozinhos numa mesa. Alguns deles trocaram fotografias nossas nuas? Quantos deles são bons e quantos são maus?

— Anna, vês como a Martina ficou bonita? — pergunta Carla.

Anna olha-me para os olhos para adivinhar se foi um castigo para mim ou se estou contente com o meu corte de cabelo.

— Seria ainda mais dramático se tu o fizesses — diz-lhe Carla. — Livra-te de toda essa lã!

— Pensarei nisso — murmura Anna.

Enquanto Benedetta finge ler a palma da mão de Anna e prever o seu futuro, entra Karl e aproxima-se da nossa mesa. Eu baixo o olhar e fico a olhar para as pernas dele até que para mesmo ao meu lado. Nadia e Carla observam o vazio que há junto dele, tornando-o imediatamente invisível. Há uns segundos, tinha um corpo, mas agora é um fantasma. Por arte de magia.

— Cheira mal — diz Carla. — A pessoas de países desfavorecidos.

Quando diz «desfavorecidos», revira os olhos para enfatizar a sua aversão. Alguém devia pará-la. E combater todo o mal que tem dentro dela. Mas não o fazemos. Submetemo-nos às suas palavras, embora não gostemos delas. Embora saibamos que estão mal e são asquerosas. É assim que funcionam a maioria das coisas más da vida. Entram sem encontrar resistência alguma.

— Sim, e a anões — acrescenta Nadia.

— Cheira-me a pobreza, a anões e a acne — continua Carla.

— A mim, cheira-me a pobreza, a anões, a acne e a perdedores.

— E a demasiadas punhetas — conclui Carla, em voz baixa.

Não sei se Karl entenderá alguma coisa. Mas, mesmo que não fale nem entenda a nossa língua, o tom de voz de Carla e de Nadia é tão cruel que se vira e se afasta. As palavras também ficam um instante a dar-me voltas pela cabeça. São como cola e têm uns filamentos tão pegajosos que não me saem da testa nem dos olhos. Agora, só consigo ver um anão com acne num quarto pobre a bater punhetas depois de perder uma competição. Tal é o poder da voz de Carla.

— Morte à letra «K»! — diz Carla.

— Morte à letra «K»! — repete Nadia.

Nessa noite, arrumamos o nosso quarto e deitamos fora as latas de Fanta e de Coca-Cola, as nossas notas, o lixo. Dobramos parte da nossa roupa. Vemos se temos pelos na zona do biquíni e nas axilas. Nadia volta a ver a sessão de treino chinesa, que gravou em segredo, enquanto Carla nos faz um teste sobre fobias. Pergunta: «Achas que, se fizeres determinadas ações (como contar, verificar as coisas uma e outra vez ou levar a cabo condutas rituais para afugentar a má sorte, etcétera), poderás mudar o teu destino?», e algo dentro de mim morre um pouco. Sim, acredito que, ao contar na minha cabeça, posso mudar o meu destino. Nadia e eu tiramos entre setenta e sete e noventa e oito pontos no teste, o que não está bem.

— Que pena! — diz Nadia, com um sorriso.

Penduramos os nossos maiôs cor-de-rosa de competição e veneramo-los como se fossem os nossos deuses. Ajoelhamo-nos à frente deles, rindo-nos, e rezamos à neve e ao frio, à Roménia, à nossa pátria, e entregamos a nossa alma ao diabo, a Khorkina, apesar da letra «K», a Nadia Comaneci, e a quem a quiser, em troca de uma vitória esmagadora.

— Vamos ganhar, vamos ganhar, vamos ganhar — sussurramos.

— Vamos, vamos, vamos! — gritamos.

Carla vai à casa de banho e Nadia e eu aproximamo-nos da janela para ver se conseguimos ver um lobo da sorte. Ou Angelika, o que deve ser o mesmo. Lá em baixo, o urso pai e o urso filho, com os seus casacos, continuam a limpar a neve com a pá.

— Obrigada, Martina.

— Por quê?

— Por não contares a ninguém — diz-me Nadia. — Por nos protegeres, à Carla e a mim, e aos nossos segredos.

— Também não teria sabido o que contar.

E Nadia, agradecida e terna, conta-me que ama Carla e que Carla quis beijar Karl e que começaram os três a tocar-se entre eles, mas então Carla deixou de tocar nela e não conseguia tirar as mãos de cima de Karl. Nadia ficou tão ciumenta que sentiu vontade de morrer.

— O idiota do Karl. Espero que seja ele que morra mesmo — diz-me.

Parece-me que esperamos que demasiadas pessoas morram.

Nadia explica-me que, na verdade, nunca gostou de Karl, que só fingia que lhe parecia bonito. Bom, diz-me que é bonito, mas quem se importa? Fê-lo para provocar a Carla. Para a aproximar dela. Para se aproximar do seu único amor. Mas as coisas saíram do seu controlo.

— Agora, já está tudo bem. — Vira-se para mim e passa-me uma mão pela cabeça. — A Carla só me quer a mim e não há lobos nem Karls lá fora.

Vai à casa de banho e entra para ver o seu único amor. Eu apresso-me a tirar a roupa e visto a *t-shirt* para dormir, aproveitando o facto de estar sozinha e de não haver ninguém que possa ver a celulite crescente, nem as ancas de anã. Deito-me na cama e apago a luz do teto. Através da janela, distingo pelo menos um milhão de estrelas e espero encontrar também o meu único amor. Confio em que o nosso amor seja glorioso. E juntos percorramos as ruas, as estradas e os caminhos do mundo.

— Tenho medo — ouço a Carla a dizer, a meio da noite.

Nunca tinha ouvido a Carla a dizer que tem medo. Mas não devo obcecar-me com isso. Se a Carla e a Nadia não conseguem dormir, nem sequer na noite anterior à nossa competição mais importante, por mim, está tudo bem. Mas sei que as minhas pernas se transformarão em gelatina e sentirei formigueiros nas mãos. Portanto, tenho de dormir. Tenho de o fazer bem amanhã. É a minha grande oportunidade para que reparem em mim. Para o fazer ainda melhor do que hoje. Para aspirar às Olimpíadas.

— Não tenhas medo — diz-lhe Nadia. — Eu proteger-te-ei sempre.

— Se essa gorda suja e asquerosa morresse esta noite... Assim, o primeiro lugar seria meu.

Mais uma que queremos ver morta. Já perdi a conta.

— Não te preocupes — diz-lhe Nadia. — Consegues fazê-lo.

— Sim, mas, se ela não estivesse aqui, seria tudo mais fácil. Para mim e para a equipa.

— Ganharás de qualquer forma.

— Não sabes isso.

— Sei, sim. És uma superestrela.

— Lembra-te apenas de uma coisa — diz-lhe Carla. — Se amanhã conseguires mais de sessenta pontos, tens de tirar a roupa. À frente de todos.

Riem-se.

— Chegar a sessenta seria como encontrar ouro líquido.

— Todos vamos ver-te nua e isso sim, será ouro líquido.

Começam a rir-se às gargalhadas e dizem tolices sobre o ouro líquido e como deve ser sentir o ouro líquido a ser despejado sobre a cabeça e a escorrer pelas costas. Repetem-no tantas vezes que, no fim, eu também acabo a imaginá-lo. Sinto a cera dourada, brilhante e ardente, a escorrer-me pelas costas, pelas pernas, até chegar aos pés. Mais do que qualquer outra coisa, é uma sensação curativa. Portanto, adormeço em paz, pronta para enfrentar o domingo da revolução, toda coberta de magia e de ouro líquido, e não de sangue, como acabaria por acontecer no fim.

DOMINGO

A Revolução

— Olha para ela — diz Carla.

Estico os braços e vejo um céu branquíssimo. É como uma folha de papel e tenho vontade de esticar a mão e escrever: «Hoje é o dia da revolução».

— Martina, levanta-te e vem vê-la.

Carla cola a cara à janela, portanto, faço o mesmo. Com os narizes esmagados contra o vidro e os olhos ainda sonolentos, imagino que alguém nos tira uma fotografia do interior da floresta. O hotel no meio da neve, a atmosfera da competição. O nosso quarto visto de fora. Os nossos olhos vistos de fora. A antecipação que nos percorre. O medo.

— O que foi?

— Não a vês?

Quando acabar a última parte deste campeonato e se somarem as pontuações das provas gerais, as melhores de nós, juntamente com algumas das melhores perdedoras, conseguirão «garantir o bilhete» para o país seguinte, para as classificatórias seguintes e, por último, para as Olimpíadas. Dizemos sempre «garantir o bilhete» e não suporto essa expressão, porque parece que ganhámos umas férias pagas em algum destino quente com bufete tropical e *piñas coladas*, quando, na verdade, estamos a matar-nos a trabalhar. Com suor, raiva e dor.

— Está assim há mais de seis minutos — diz Carla.

Espero ver Angelika, mas olho com atenção e é Nadia que vejo, a fazer o pino perto da floresta, arriscando-se a lesionar-se ou a apanhar frio. Sabe muito bem que conseguimos vê-la daqui. E sabe muito bem que não devia estar ali fora sozinha. O casaco de penas caiu-lhe por cima da cara, mas reconhecemos-lhe os pés, o fato de treino e as suas características pessoais em cada centímetro do seu corpo. Está encharcada e suja. Tem manchas de lama.

— Porque está a fazer aquilo? — pergunta Carla.

Encolho os ombros e passo a mão pelo cabelo curto e eriçado. Talvez a minha mãe nunca mais volte a sonhar que tem cabelo na boca, porque a partir de hoje, no domingo da revolução, determinados fios e lembranças, dedos e horrores, estão destinados a desaparecer não só da minha cabeça, mas também da sua mente.

— Se ficar doente antes de derrotarmos os outros clubes, é realmente uma idiota — diz Carla. — Esteve fora toda a noite.

— A sério? — pergunto.

Daqui, nota-se que Nadia está a tremer. Para de fazer o pino, olha para nós e sorri enquanto cumprimenta com a mão. Corre para o hotel e eu volto a deitar-me na cama. Sinto-me muito cansada, como se não tivesse dormido um único minuto. Ou na minha vida inteira. Estou esgotada de tanta palavra, dos lobos da floresta, de que estas duas não façam mais nada senão dar voltas na cama e saiam a meio da noite. Olho para Carla e vejo que ela também está a tremer.

— Está tudo bem? — pergunto-lhe. — Estás pálida.

— Vamos estar caladas — responde.

Por mim, tudo bem, portanto, paramos de falar. Nadia regressa, deixa cair o casaco de penas sujo, vai diretamente para a casa de banho e abre a torneira do duche. Fica lá dentro uma eternidade. Quando sai, está muito calada, por isso, agradecemos esse silêncio, a concentração de que precisamos. Arranjamos o cabelo — eu demoro zero segundos — e maquilhamo-nos sem dizer uma palavra. Carla põe sombra nos olhos de ambas e elas também pintam o risco. Eu não o faço porque vejo tudo desfocado.

— O que se passa? — pergunta a Nadia.

— Está tudo bem — responde ela.

Mas continua a coçar a mão. Depois, o braço.

Vestimos os maiôs, que são demasiado cor-de-rosa e têm demasiadas lantejoulas. Fixamo-los à nossa pele com cola em *spray*, preparamos as mochilas, bebemos um pouco de água e escovamos os dentes. Também lavamos os pés com especial cuidado, em especial as plantas, que hoje, mais do que qualquer outro dia, não deviam estar sujas.

— Aqui vamos nós — diz Carla.

E aqui vamos nós.

Rachele está à nossa espera na sala de conferências do hotel para o que ela denomina a nossa «sessão de treino virtual». A sala está quase às escuras e, nessa penumbra, parece menos deprimente. No «treino virtual» não nos permitem dizer sequer olá, por isso, não o dizemos. Limitamo-nos a entrar e a ocupar os nossos lugares no chão.

Sento-me junto de Anna e Benedetta e, juntamente com a Carla e a Nadia, cruzamos as pernas. Alex olha para nós. Oxalá pudéssemos olhar para ele nesse mesmo segundo e, como o único corpo e o único coração que somos, julgá-lo com tal dureza que lhe partisse o coração, obrigá-lo a ajoelhar-se e a pedir que o perdoemos.

Mas nunca o perdoaríamos.

Todas olhamos para baixo, sentadas neste círculo de amor e confiança, e fazemos algumas respirações antes de Rachele começar o seu discurso. Puxo o fecho para cima e para baixo duas vezes, enquanto fazemos as nossas caras de concentração. Sabemos que isso é o que se espera de nós e das nossas caras. Uma concentração profunda. Portanto, é o que aparentamos. Ouvimo-la enquanto nos conduz com as suas palavras para um estado de relaxamento, fazendo-nos visualizar um lugar limpo e silencioso, puro e livre de perigos, enquanto ascendemos os sete degraus para a concentração, para que a nossa mente guie o nosso corpo. Aqui, cheira a xixi e pergunto-me se passei todo este tempo a sentir esse cheiro, desde que saí de casa. Ou desde o começo da minha vida.

— O vosso corpo é a vossa mente — diz Rachele. — O vosso corpo é o corpo da equipa.

Ficamos em silêncio. Estamos demasiado próximas da competição para dizer coisas que não tenham nada a ver com isso ou até coisas que tenham alguma coisa a ver. Quando olho para eles, Alex e Rachele estão muito sérios, com o semblante severo e o sobrolho franzido. Às vezes, digamos que me lembro de que esses dois trabalham para nós, não ao contrário, e isso faz-me sentir que tenho alguma espécie de poder. E de controlo. Sei que não o tenho, mas é uma forma fácil de me libertar da dor.

Começo a contar, inspiro e expiro, e visualizo o aquecimento. Visualizo o ginásio, como Rachele me diz para fazer, bem iluminado e sem gente.

— Os espetadores não existem — sussurra. — A gravidade não existe.

E, então, os espetadores não existem e a gravidade não existe. As bancadas estão vazias. Sinto-me leve, forte, e sou capaz de executar os exercícios de forma impecável. Apoio os pés, aperto a barriga, estico as pernas. Salto, voo e conquisto toda a beleza e toda a magia. A mesa de saltos é um trampolim capaz de nos fazer percorrer a distância que nos separa dos outros planetas. A trave olímpica é uma linha, sem nada por baixo, da qual é impossível cair e magoar-me. Então, faço a receção ao solo. O meu coração bate a um ritmo regular e os focos só me iluminam a mim.

— O calor que sentem na cara, no corpo, é a luz da vitória — diz-nos Rachele.

À luz da vitória, distraio-me, porque me vejo com o cabelo comprido e tenho de reajustar a imagem a meio de um salto mortal. Abro um olho e vejo Carla a olhar para Nadia. Também olha para mim, assustada, e fecha imediatamente os olhos.

— Estão prontas, raparigas — conclui Rachele. — E são as melhores.

Agora que as melhores acabaram a visualização, saímos da sala de conferências e dirigimo-nos para a cafetaria. Tenho a barriga relaxada, todos os meus músculos estão relaxados, e sinto-me bem. Olho para as minhas colegas de equipa e espero que elas se sintam tal como eu. Bem, relaxadas e concentradas. Espero que Nadia não esteja demasiado nervosa, que Anna aborde com segurança o duplo salto mortal na sua última sequência acrobática. Espero que Benedetta não esteja demasiado desesperada por não ser capaz de competir hoje ou demasiado zangada por ter de aquecer de qualquer forma: as regras são assim e as regras não se discutem. Espero que Carla destrua Angelika e que possamos todas entrar em mais aviões, dormir em novos lugares e ganhar, ganhar sempre. Espero fazer uma sequência espetacular, a melhor da minha vida, e espero que reparem em mim. Espero classificar-me entre as dezasseis melhores ginastas deste campeonato. Melhor ainda, entre as dez melhores. E assim todos os treinadores e o diretor técnico da equipa nacional virão e dir-me-ão que sou boa.

Também espero não morrer.

— São um só coração — diz-nos Rachele, mais uma vez, quando chegamos à cafetaria do hotel —, e eu amo o vosso coração.

A sua voz está a começar a incomodar-me. Torna-se asquerosa, em especial quando quer pôr-nos sensíveis e finge que nos ama. É um pouco como quando a minha mãe começa a explicar-me porque as pessoas estão tristes ou porque estão felizes e o seu tom é uma mistura entre contos de fadas e falsa doçura. Dá-me calafrios, com esses olhos que faz quando tenta «comunicar». A estas alturas, já sabemos que esse não é o seu ponto forte.

— Mesmo quando competem entre vocês, são um único corpo, devem cuidar dele — diz Rachele.

— E uma única mente, devem cuidar dela — conclui Alex, quando nos sentamos.

Com essa mesma mente partilhada, atiramo-lo ao chão. Carla arrota e é um arroto que invade a sala, que sobrevoa as outras mesas, as nossas cabeças e o domingo inteiro. Aqui vem o seu corpo. Aqui vêm as suas tripas. Rimo-nos, esquecemo-nos dos sete degraus, da concentração, e começamos a tomar o pequeno-almoço. Rachele bebe o café e para finalmente de falar.

Abrigadas com os nossos casacos de penas, com o gorro na cabeça, atravessamos o pátio da frente e depois atravessamos a ponte e a estrada que passa por baixo. Viro-me e vejo as outras equipas a andar na neve atrás de nós. Vejo os russos e distingo os húngaros. Vejo o clube chinês.

Às vezes, ainda acho que esta não é apenas a minha vida, mas também o meu maior sonho. Como agora, enquanto me dirijo para a mesa de saltos, para o pódio, para o praticável e para a trave. A única coisa que tenho de fazer é competir e não há nada que deseje mais. Estou prestes a executar exercícios de solo que me custaram anos de sacrifícios, manhãs de treino, tardes de preparação, dietas rígidas, cãibras nas mãos e dores nas costas. Dor nos ossos. Comprimidos. Mas não tenho medo e também não estou triste. Sinto-me incrível, como uma guerreira, e talvez este seja mesmo o domingo da revolução.

— Karl — sussurra Carla.

A equipa polaca está no outro extremo da ponte. Karl vai a andar à nossa frente, sozinho, e não se vira. A julgar pela cara de Carla, todos pensariam que a palavra *Karl* lhe saiu por acaso. Como o arroto na cafetaria. De facto, não volta a dizê-la nem acrescenta mais nada. Eu ponho os auscultadores, aumento o volume do meu iPod velho e imagino a mesma cena com uma banda sonora. Reproduzo a mesma cena com uma banda sonora e comigo como protagonista romântica. Sou a rapariga em quem Karl está a pensar, estamos apaixonados, andamos pelo meio da neve, num país estrangeiro de montanhas e vilarejos com construções medievais.

Dizemo-nos «amo-te». Beijamo-nos. Podemos voar.

No pavilhão gimnodesportivo, cada clube senta-se por baixo da sua própria bandeira. As luzes são muito intensas. Demasiado intensas. Não é precisamente como o tinha visualizado na sala de conferências. Os nomes e os países dos atletas que competem na final geral anunciam-se pelos altifalantes e de fundo ouvem-se as canções escolhidas para os exercícios de solo. As bancadas estão a transbordar de gente e, daqui de baixo, as pessoas parecem *confetti*, e os seus murmúrios, o zumbido de um mosquito gigante que está prestes a picar-nos. O cheiro é uma mistura de detergente do chão e suor. O suor deles. O meu suor.

Ocupamos as nossas posições no banco da nossa equipa, não demasiado longe dos chineses e dos espanhóis. Puxo o fecho para cima e para baixo duas vezes e agarro e solto a minha garrafa de água duas vezes. Os juízes passeiam pela zona do júri enquanto Rachele fala com Alex, que está a fazer uma massagem no tornozelo de Anna.

— Melhor? — pergunta-lhe.

E, como de costume, ela só consegue dizer que sim com a cabeça e conter as lágrimas. Imagino-me a aproximar-me do microfone e a dizer em voz alta: «Em quantos de vocês é que os vossos fisioterapeutas vos tocam? E os vossos treinadores? Quantos de vocês querem deixar de estar vivos e não conseguem respirar de noite?». Poderíamos ser os pioneiros disso, mais do que de qualquer outra coisa, os pioneiros dos nossos sonhos e da nossa liberdade e, mesmo assim, saltar e voar entre as paralelas assimétricas — entre uma galáxia e outra —, mas sem que nenhum dos adultos invente as regras?

No canto oposto do praticável, Nadia observa as paralelas assimétricas como se fossem uma fórmula matemática que tem de resolver. Está tão pálida que parece que o seu corpo ficou sem sangue. Olho para as raparigas francesas, olho para as espanholas e procuro uma saída. Procuro as romenas, mas ainda não chegaram. Anna deita-se de barriga para cima. Chegou até aqui, apesar de ser uma das Inúteis. Devia estar orgulhosa.

— Estás orgulhosa? — pergunto-lhe.

— A verdade é que não. E tenho de relaxar. Ainda não estou concentrada.

— Eu também ainda não estou bem — digo-lhe. — Hoje, passa-se alguma coisa.

Olha para mim como se o seu olhar se tivesse toldado, como fazem os míopes quando veem uma fotografia. Somos um só corpo, um coração, de modo que me afasto do seu olhar impreciso. Não quero que me infete com esse vírus impreciso. De onde me encontro, parece que as raparigas polacas vão ser as perdedoras hoje. Daqui, sinto a ansiedade nos seus rostos cinzentos e aterrorizados. Não sei se devia dizê-lo a Rachele, explicar-lhe quão evidente é que vão perder. Ou melhor ainda, não dizer nada porque isso poderia trazer-nos azar.

É melhor não dizer nada.

— Vermelho, vermelho, azul, amarelo / Coca-Cola Fanta marmelo / dentes retos, pés retos / tu por mim, eu por ti / cocó amarelo, Fanta marmelo / eu cuido de ti e tu cuidas de mim — estão a recitar Carla e Nadia.

Alternam-se para passar a mão pelo meu cabelo eriçado. Se a competição correr bem hoje, o meu crânio transformar-se-á numa parte fixa do sortilégio. Arrisco-me a ter de carregar estas carícias comigo durante anos.

— Experimentaram abracadabra em vez disso? — murmuro.

— O que se passa contigo? — pergunta-me Nadia. — Estás zangada?

Tem as mãos cobertas de arranhões. O que se passa comigo?

— Olha, como está a bater o queixo. Está nervosa, é isso que se passa — responde Carla. — O facto de a Marti chegar à final geral é algo incrível!

Afastam-se e eu toco no queixo. Não estou a bater o queixo. E, além disso, que rica expressão. Porque haveriam de dizer uma coisa dessas? Imediatamente, sinto a cara como a de um camelo, a mexer a boca para os lados, com os dentes para fora. Fico apenas com o maiô e, nesse momento, Alex aproxima-se e começa a esfregar-me as pernas, os braços. Também me faz uma massagem nas mãos, esticando cada dedo e, com um pano, retira o creme restante.

— Não queremos escorregar, pois não? — diz-me. E depois:
— Fazemos as pazes?

Vejo-me a mim mesma a escorregar do banzo superior e tenho de afugentar o som do meu pescoço a partir-se. Então, vejo-me a partir o pescoço dele.

— Vai-te foder — digo-lhe.

Levanto-me. Vou-me embora. Chega o clube romeno e as raparigas são as mais bonitas de todas nós. Refiro-me a que cada uma delas é mais bonita do que cada uma de nós e do que todas as outras equipas do universo. É provável que até o seu ácido láctico e os seus músculos sejam melhores. E também o seu sangue. Têm purpurina no cabelo, maiôs vermelhos brilhantes e lápis de olhos azul que desenha uma risca ascendente sobre as suas pálpebras. Observo-as e, na minha cabeça, imagino-as a atuar em câmara lenta, com os rabos-de-cavalo a oscilar e os pés ligados a andar com ligeireza sobre o chão de linóleo, flexíveis como as lagartas. As ligaduras que têm nos pulsos parecem pulseiras muito valiosas, as suas pernas são mais compridas do que as nossas; as suas ancas, mais estreitas. Escolho uma banda sonora para realçar a sua superioridade, a música clássica é perfeita para isso; faz com que seja tudo ainda mais chocante. Procuro Angelika Ladeci, a estrela do meu filme particular em câmara lenta, mas não está aqui.

— Angelika? — ouve-se um murmúrio procedente de todos os lados.

— Ladeci? — ouvimos.

— Ladeci? — perguntam.

Talvez queira fazer um aparecimento estelar e ser a última a chegar, para que todos olhemos para ela, a protagonista. Ou talvez queira que nos preocupemos, para que a amemos ainda mais. Mas vê-se o pânico nos olhos da treinadora romena e nem sequer a risca do olho pintada para cima consegue disfarçar o terror.

— A Angelika desapareceu — sussurra Carla. — Que raios se passa?

Nadia agarra-lhe o braço, eufórica, enquanto recita mais uma vez a sua rima. Olho para Rachele, que levou a mão à boca e tem a outra com o punho fechado. Anna e Benedetta estão de pé junto dela, ambas aterrorizadas. Sentamo-nos muito coladas e vemos que a treinadora romena se aproxima do júri. Só Carla parece aliviada.

— Talvez a tenham treinado com demasiada dureza e o corpo se tenha partido — comenta Anna.

Já aconteceu anteriormente. Alguma coisa no corpo de uma ginasta partiu-se de repente e não pôde competir no último minuto. Nem nunca mais. Ou talvez Angelika tenha fugido, levada pelo desespero. Talvez já se tenha fartado de fingir um sorriso perfeito. De ganhar medalhas de ouro que cheiram a homens. «Garantiu o seu bilhete», mas para sair daqui.

Que sortuda.

Rachele troca olhares com os outros treinadores e todos se aproximam em grupo do júri. Os números LED piscam depressa, demasiado depressa, portanto, imagino que o técnico encarregado do quadro de pontuações também desapareceu. Talvez esteja com Angelika e com todos aqueles que, neste domingo de manhã, decidiram reiniciar as suas vidas noutro lugar. Imagino-os a todos a caminhar em liberdade, a afundar os pés na neve, em direção a um lugar mais fácil onde ninguém os observará, nem os julgará constantemente, onde ninguém lhes gritará, nem será cruel. Talvez esta seja a revolução de que o meu pai falava. Hoje, é o dia em que nos libertamos das nossas correntes, da nossa rotina, e do medo de cair e de morrer depois de partir o pescoço. Da claustrofobia que sentimos com as flexões de braços em séries de trinta e depois outras trinta e outras trinta e outras trinta. A partir deste domingo, ganhar num ginásio já não será importante e fazer uma reverência enquanto sorrimos já não será necessário.

Na zona do júri, os treinadores estão cada vez mais nervosos, abanam as mãos, franzem o sobrolho. Não consigo ouvi-los. Penso nas suas vidas, que talvez estejam mais fodidas do que as nossas. Onde estão as suas famílias? Porque são tão asquerosos? Acabarei por me parecer com eles? Tivemos vários treinadores, nos nossos clubes locais e depois na equipa nacional. Ao princípio, sempre os admirávamos. Até os amávamos. A pouco e pouco, fomo-nos rebelando e eles faziam-nos chorar, com frequência, só porque lhes apetecia. A sua intenção era aborrecer-nos. Escravizar-nos. Fazer-nos sentir débeis e inúteis. Então, só tínhamos medo deles e agarrávamo-nos a esse medo como o sentimento chave para nos obrigar a avançar. E a ser melhores. Mas agora, vendo Rachele e Alex, olhando para o monstro nos olhos, sei que eles também choram e se sentem sozinhos; são uns mentirosos, fracos, perversos e, o pior de tudo, ginastas fracassados. Não têm nenhum tipo de talento. O medo está a deixar espaço para algo novo, algo que é apenas nosso. E que é a nossa verdadeira arma. O ódio.

Vittorio, o primeiro treinador que tivemos no Campo de Treino de Equipas, costumava dar-nos lições sobre o nosso possível caminho na vida, deixando-nos claro que ficar ali tinha um preço e um significado maior do que nós mesmas. E do que a nossa felicidade. Uma vez, devia ter eu sete ou oito anos, explicou-nos que treinar uma ginasta era como segurar um pardal com a mão.

— Se apertares demasiado, morre. Se não apertares o suficiente, foge a voar — disse-nos.

Em casa, repeti a metáfora do pardal. Parecia-me poética, algo de que estar orgulhosa. Ser um pardal nas mãos de outra pessoa, que prazer. Vittorio disse-o muitas mais vezes e costumava repeti-lo quando nos esforçávamos acima do nosso limite. E assim, sem mais nem menos, «pardal» deixou de ser uma palavra bonita e estar nas mãos de alguém deixou de ser algo com que devia estar contente.

— Na ginástica, é preciso a precisão de execução de um pianista e o esforço muscular de um halterofilista — costumava dizer. — São habilidades opostas que deviam treinar-se de forma diferente. O pianista deve praticar diariamente e durante muito tempo. O halterofilista, pelo contrário, só ocasionalmente é que deve esforçar-se ao máximo e precisa de muito descanso. Mas, se um pianista cometer um erro, não acontece nada, enquanto, se uma ginasta cometer um erro, pode morrer.

Vi-me a mim mesma morta juntamente com mais um milhão de pardais.

— É como dissolver o sal em água — disse Vittorio, antes de abandonar as ginastas para sempre. — Tentamos acrescentar cada vez mais. Ao princípio, é fácil, depois, torna-se mais difícil, temos de mexer com mais força, por mais tempo. Talvez com a água possam explicar essas coisas através da ciência. Mas, com o treino, não existe uma fórmula mágica. Não é preciso muito para nos excedermos. Não é preciso muito para conseguir uma solução sobressaturada.

— O que significa sobressaturada? — perguntou Carla, então.

Era uma das primeiras vezes que eu a tinha visto a treinar. Éramos umas crianças. E, mesmo sem fórmula mágica, sem rimas e sem Bíblia, já tinha magia.

— Seja o que for, não soa muito bem — respondeu-lhe Nadia.

De certa forma, todos os ginastas são soluções sobressaturadas e talvez Angelika também esteja sobressaturada. Imagino-a num copo cheio de água e sal, e nesse copo não há ar para respirar, nem razões para se alegrar. Nós estamos também ali. E também a equipa

175

chinesa. Juntamente com todas as que, neste ginásio, têm maiôs de licra e músculos deformados. Soluções sobressaturadas e corpos magoados que flutuam em copos de água com sal.

Rachele aproxima-se e sussurra alguma coisa ao ouvido de Alex que, por sua vez, lhe sussurra qualquer coisa. É como se jogassem ao telefone escangalhado e sei que terei de ser eu a tentar decifrar a frase sem sentido e dizê-la em voz alta. Rachele olha para os outros treinadores, que sussurram ao ouvido dos outros fisioterapeutas. Estão todos de pé e é evidente que se trata de uma emergência.

Vira-se para nós.

— A Angelika Ladeci desapareceu — anuncia.

— *Desapareceu?* — repito. — Desde quando?

— Desde ontem à noite. Esta manhã. Não sabem.

— Não sabem? — pergunta Carla. — Foi para casa porque não consegue suportar a minha ameaça?

— Viram-na a ir para a cama, mas não sabem se desapareceu durante a noite ou esta manhã.

— Idiotas — diz Carla. — Aparentam ser muito rígidos, a dar murros na barriga dos seus atletas, e depois perdem a Angelika.

— E o que sucede agora? — pergunta Anna.

— O que sucede é a competição — diz Rachele. — Evidentemente, as romenas querem que o evento pare enquanto a procuram. — E, então, descreve com o dedo um círculo por cima da sua cabeça para se referir às bancadas cheias de gente, às luzes brilhantes, aos aparelhos lustrosos, às equipas que já começaram a aquecer. — Acham que um evento desta magnitude pode parar? Além disso, todos temos o voo de regresso. Se não sabem cuidar da sua campeã, porque é que os outros haveriam de pagar o preço?

— O que lhe terá acontecido? — pergunta Benedetta.

— Parecemos um disco riscado. Porque não mexemos o rabo

de uma vez, que foi para isso que treinámos? — sugere Carla. — Benedetta, da próxima vez que decidires falar, avisa-nos, porque é sempre surpreendente recordar que tens voz.

Carla levanta-se, belisca uma nádega a Benedetta e tira o fato de treino. Passa as mãos pelo rabo-de-cavalo loiro e estica os dedos e os ombros antes de esfregar os tornozelos. Toca nos calos das mãos para comprovar que continuam lá. Continuam lá. Bastaria que um deles se abrisse para que os exercícios fossem dolorosos.

— Finalmente, livrámo-nos dela — comenta Nadia.

— Talvez tenha diarreia e tenha vergonha de o dizer — responde Carla.

Pisca-lhe um olho e desata às gargalhadas. Leva o dedo indicador aos lábios e, com o olhar, também parece estar a dizer «vá lá, não abusemos». Nadia tira o fato de treino, fixa o maiô e, graças às lantejoulas brilhantes, e aos seus sorrisos, começa a competição. Acaricio o cabelo espetado, também ajusto o maiô cor-de-rosa e tento concentrar-me com os auscultadores postos. Alongo, esfrego as mãos e os pés, enquanto olho de vez em quando para as outras equipas. Fecho os olhos e penso na minha mãe e no meu pai. Nos seus poucos sorrisos verdadeiros. Nos seus poucos abraços verdadeiros. Volto a abri-los e vejo a neve a cair do outro lado da janela, uns flocos como pires voadores. Adoraria saboreá-los. Apanhar alguns com a língua e esmagá-los como se fossem bolachas. É a minha primeira final geral num campeonato desta envergadura e continuo sem conseguir acreditar.

— És a melhor — digo a mim própria. — És uma guerreira e uma pioneira.

As cinco andamos em formação para a mesa de saltos. Benedetta vem connosco porque, embora não compita, continuamos a ser uma equipa e um só corpo. Não podemos andar sem as suas duas pernas. As outras adversárias estão por todo o lado, atrás de nós e à nossa frente. As romenas, que parecem preocupadas; e as chinesas, cuja expressão é um reflexo da nossa, robôs eficientes que não se rebelarão; as francesas, que todas podem aspirar a ser modelos, mas, por enquanto, são péssimas ginastas; e as polacas, que parecem ter sofrido uma intoxicação alimentar há algumas horas. Cada uma de nós competirá hoje contra as outras em todos os aparelhos e, no fim do dia, só haverá um pódio, três lugares no pódio mais cobiçado deste campeonato.

Uma, e apenas uma, medalha de ouro.

As bandas sonoras para os exercícios de solo começam a ouvir-se junto do praticável e, de vez em quando, ouço uma melodia repetida porque uma atleta espanhola escolheu a mesma música do que uma russa e uma atleta inglesa tem a mesma preferência do que uma francesa. Mordo a língua duas vezes, muito suavemente, e mais duas vezes com um pouco mais de força.

— Pioneira — repito.

Embora, não sei muito bem porquê, na minha cabeça a palavra se transforme em *mosqueteira*. Atrás de nós, uma adversária francesa aproxima-se das paralelas assimétricas. De repente, os seus sons nos banzos fazem-me pensar em quando o aspirador da minha mãe bate nas escadas quando limpa e depois no som que a minha testa faz ao mexer-se para cima e para baixo na marquesa da fisioterapia.

— És uma guerreira — repito-me. — Mas uma guerreira boa que luta pela paz. Àqueles que são bons não pode acontecer nada de mal.

— Vermelho, vermelho, azul, amarelo / Coca-Cola Fanta marmelo / dentes retos, pés retos / tu por mim, eu por ti / cocó amarelo, Fanta marmelo / eu cuido de ti e tu cuidas de mim — dizem Nadia e Carla, antes de se afastarem.

Então, acontece tudo muito depressa: os corpos, os pensamentos, as palavras, os saltos, as quedas e eu já estou a correr para o trampolim, a rodar as mãos, salto pelo ar, faço um duplo mortal, um *Yurchenko* e receciono sem problemas, sem mexer os pés nem um milímetro.

Inclino-me à frente dos juízes. Inclino-me à frente do público.

Espero para ver a minha pontuação e agradeço um bom 14,4, enquanto observo uma ginasta chinesa perfeita a saltar depois de mim e a rececionar no chão sem mexer um só músculo, nem sequer uma sobrancelha. Talvez nem sequer um batimento. E aí está o seu 14,8. Segue-a uma francesa, depois uma espanhola que não voltarei a ver porque não é suficientemente boa e porque a sua equipa não é tão forte como a minha ou como as romenas e as russas, já para não falar das chinesas.

A seguir, passo para a trave olímpica. Executo os meus exercícios como se continuasse na meditação guiada de Rachele. Está tudo limpo. É tudo fácil. A gravidade não existe. A dor não existe. Salto. Faço a receção ao solo.

Inclino-me à frente dos juízes. Inclino-me à frente do público.

À frente do mundo.

À medida que a manhã avança, Carla — acompanhada de uma banda sonora de pés que rececionam, de corpos que caem, de números que giram nos quadros, dos aplausos discretos ou fervorosos do público — vai gravando o seu nome na mente de todos. Depois de obter um incrível 15,183 na mesa de saltos e um 14,86 na trave olímpica, recebe um fantástico 14,8 nas paralelas assimétricas. Quando sorri, o seu sorriso é o mais doce do mundo. Quando salta, salta como nenhuma outra no praticável, e quando dança, os seus movimentos são tão fluidos e leves que dá a impressão de que dançar assim, voando ao mesmo tempo, é realmente fácil. Em muito pouco tempo, os seus vídeos tornar-se-ão virais na Internet. Polegares para cima. Polegares para baixo. Vendo-a, alguém pensa que poderia ser como Carla, que poderia esticar os pés e arquear as costas como um felino. E o seu sorriso, não seria fácil para ti, para nós, sorrir assim e parecer feliz como ela parece? Mas, claro, não podemos.

Os juízes assentem com a cabeça, Rachele faz o símbolo da vitória com os dedos e, cada vez que Carla acaba um exercício, diz «Sim!», o que é quase enternecedor. Carla vai a caminho das Olimpíadas. Está «a garantir o seu bilhete». Também está a conseguir fazer com que Rachele seja a melhor treinadora que há aqui.

Coço a cabeça e sorrio antes de me precipitar para as paralelas. Estou concentrada, lúcida. Salto para cima com precisão, mas, assim que começo, sinto que se abre uma bolha da mão no segundo movimento. O banzo transforma-se então numa faca. A minha mão é uma ferida aberta agora, que dói e me distrai. Solto o banzo superior e, na fração de segundo que decorre antes de agarrar o banzo inferior, antecipo a dor que estou prestes a sentir. Imagino a sua intensidade, como uma chicotada na cara, a invadir o meu cérebro. Imagino que será tão terrível que, quando finalmente sinto a dor real, que causa a pele aberta, me parece algo suportável. É algo que consigo fazer. Portanto, faço-o. É algo que consigo suportar, portanto, suporto-o.

Talvez seja o meu novo corte de cabelo e talvez o meu pai tivesse razão. Somos felizes, amamo-nos e o dinheiro não importa. A vida é suportável e não há problemas por trabalhar à noite, não há problemas por chorar ou sangrar das palmas das mãos, e é domingo, o meu domingo, por isso concentro-me na magia da minha sequência, na forma, na técnica e na composição. Consigo aproveitar. E depois adoro. Aceito a dor e celebro-a. Executo uma receção bastante boa; faço a receção ao solo como se acabasse de conquistar

Marte. E foi assim. Levanto os braços. Cumprimento e sorrio com o maior sorriso de todas as galáxias conhecidas e desconhecidas quando, de repente, percebo que estou a sorrir com a boca do meu pai e não com a minha e penso em como devo estar feia, além de desesperada.

De modo que, em vez de desfrutar do aplauso que se segue, esfrego os lábios com a mão para apagar o sorriso.

Esperamos que apareça a pontuação de Nadia nas paralelas e a minha também. Faço figas, com a esperança de que a minha pontuação me faça subir e de que a ausência de Angelika também ajude todas nisto. Nadia consegue um bom 14,66. Eu recebo outro 14,4 e sorrio, desta vez, com a minha boca, não com a do meu pai e, como ninguém me cumprimenta, volto para perto de Rachele. Paro junto dela com a esperança de que alguém se lembre de que eu também estive aqui e de que também fui boa. Que sou a Martina com o maior «M» do mundo. Treino há mil anos, caio há mil anos e fracasso, choro há mil anos. Hoje estou a acertar em cheio, ao meu nível, sim, mas estou a fazê-lo. «Diz-me que o fiz bem — penso. — Diz-me.»

Mas não me diz.

Anna dá-me uma palmadinha no ombro. Terei dito em voz alta que precisava de uma palmadinha? Já estamos tão perturbadas que nem sequer sabemos se pensamos ou falamos?

— Estás a fazê-lo muito bem — diz-me Anna. — Consegues fazê-lo.

— Obrigada — respondo-lhe. — Como te sentes?

— Dói-me o tornozelo. E não me classificarei entre as vinte primeiras.

— Estás a melhorar — minto.

— Prometes?

— Prometo.

Vejo Karl nas bancadas; ainda faltam duas horas para que os rapazes compitam e até nós, as raparigas, termos acabado. Veio para nos ver. Sobretudo, para olhar para ela, para Carla. Anna também olha para ele, mas baixa os olhos imediatamente. Sempre foi assim; baixa o olhar e talvez pense que assim vai viver mais tempo.

Eu estou a manipular o meu fecho, a esfregar o maiô enquanto tento não olhar para Karl. Mas, então, olho para ele. Não desvia o olhar de Carla. Nem de Nadia. Depois, olha de novo para Carla. O que está a fazer aqui? Passado um instante, Rachele repara na sua presença, porque os olhos das suas raparigas se mexem para ele e os dele para elas e, então, altera-se. Também é questão de superstição. Está a correr tudo bastante bem e não deve mudar nada. Não precisamos de espetadores novos. Nem de problemas novos. Não são permitidos Karls neste lugar. As horas têm de passar depressa, Carla deve permanecer concentrada e a neve tem de continuar a cair. Rachele deve permanecer junto de Alex e tem de continuar de pé porque, quando as coisas estão a correr bem e estamos de pé, então, não devemos sentar-nos até acabar a competição. Se as coisas estão a correr bem e estamos sentadas, então, não nos levantamos até acabar a competição. Mas agora veio Karl e as coisas poderiam mudar, talvez Karl nos traga azar e talvez Carla caia.

— A Nadia está apaixonada pela Carla — digo a Anna e a Benedetta.

Anna baixa ainda mais os olhos. Pergunto-me até onde poderá baixá-los, talvez até ao centro da terra. Nesse momento, vejo-a a baixar os olhos e a chorar quando tinha dez anos, depois de Vittorio lhe dar uma palmada nas mãos. Vejo-a a ir para casa com o seu motorista, com os olhos fechados no banco traseiro, a chorar por o ter feito mal na trave olímpica. Também a vejo a chorar com a

Carla, depois de ela lhe puxar o cabelo com tanta força que gritou. Esforço-me para me lembrar dela a rir-se e vem-me à cabeça uma vez em que nos atirámos para os colchões a cantar canções de desenhos animados. Houve outra vez, num campeonato regional, quando tínhamos onze ou doze anos, em que a sua mãe tinha vindo vê-la. Depois, levou-nos a todas a comer. Naquela noite, Anna riu-se e a sua mãe devia ter pensado que a sua pequenina era sempre feliz.

— Ama-la muitíssimo — continuo.

Porque estou a contar isto a Anna e a Benedetta? A verdade é que não sei, mas o facto de ter escolhido contar às Inúteis deve significar alguma coisa. Talvez seja apenas uma covarde. Elas não dirão nada inapropriado nem contarão a ninguém. Ou, por acaso, somos amigas?

— E a Carla? — pergunta Benedetta. — Ela também a ama?

— Não sei — respondo. E essa é a verdade, não sei.

Anna esfrega o tornozelo. Está inchado e nota-se à vista desarmada que se passa alguma coisa. Nunca gostei muito dela. Consigo recordar outra vez em que esteve a rir-se. Foi quando estivemos todas a dançar, depois de treinar, ao ritmo da canção de uma nova estrela da *pop*.

— Não é que não queira contar-vos — digo-lhes. — É que realmente que não faço ideia.

— Eu sei — responde Anna. — Não faz mal.

Dá pena olhar para Benedetta: tem os ombros caídos e a cara triste. Parece querer aparentar desespero a todo o custo, como se estivesse prestes a fazer uma birra para conseguir o que quer que seja que quer da sua mãe. Hoje não compete e não continuará muito mais tempo a competir noutro lugar.

— A trave olímpica odeia-me — lamenta-se, queixosa.

— É possível — diz Anna. E depois mente. — Mas o colchão adora-te.

Benedetta está à beira do pranto, mas contém as lágrimas brilhantes dentro dos olhos. Cada lágrima parece um peixinho num aquário. Nunca nos entusiasmámos com a sua execução na trave olímpica. Nem com a sua execução nas assimétricas. É evidente que somos quatro e depois há ela. É menos habilidosa, menos forte, menos precisa. Faz birras. Além disso, está a emagrecer demasiado.

— Não faz mal se não fores ginasta — digo-lhe. E não sei bem se estou a dizer-lho ou a mim mesma. — Talvez até seja melhor.

Bebo dois goles de água e levanto-me. Não quero que os meus músculos pensem que acabou e que adormeçam. Aproximo-me do praticável, onde o médico espanhol está a tentar dobrar a perna de uma das suas atletas. A pobre rapariga aperta os dentes. Eu enjoo ao vê-la, portanto, em vez disso, observo a neve até a levarem. Ninguém lhe dá uma palmadinha na cabeça ou um beijo. Três meses de repouso? Um ano? Acabada por completo e de que serviu toda esta dor?

— Não faz mal se não fores ginasta. — Poderia ir dizer-lho também a ela. Mas em espanhol, claro, e depois?

Carla está a celebrar a sua pontuação impressionante de 14,88 nos exercícios de solo. A soma das suas pontuações indica que está a liderar o campeonato e que está prestes a transformar-se na estrela do dia. Embora a batalha pelo ouro ainda não tenha acabado, das bancadas, todos gritam o seu nome. Nadia mexe a boca e articula um «amo-te» e disparam os *flashes* das máquinas fotográficas dos fotógrafos. Iluminam-na e, quando percebe, Carla flete o braço como o Popeye. A verdade é que encontrou uma boa marca de identidade, com isso do braço. Eu sorrio, embora veja a Nadia a repetir «amo-te», mas não está a dizê-lo a ninguém, porque Carla está a sorrir para Karl, sentado entre o público. Estremeço e conto até dez, depois até cem, e sei que o azar nos perseguirá porque Carla não cumpriu a sua promessa de odiar a letra «K» e não voltar a olhar para um «K».

Onde está a Angelika com «K»?

A expressão de Nadia não muda. Pensei que se zangaria, que, no mínimo, lhes mostraria o dedo, faria uma careta, mas talvez hoje esteja tudo bem. Talvez o azar seja uma tolice, talvez as promessas não durem muito e a única coisa que importe seja o que realmente somos capazes de fazer. Resistir. Saltar. Voar. Ganhar.

O clube romeno mantém o ritmo, sem se destacar de forma espetacular, mas com uma limpeza ímpar e sem erros importantes. Já não têm a Angelika, mas continuam a ser muito fortes. Provavelmente, estão sempre a pensar na sua estrela quando olham à sua volta, à espera que entre no praticável a qualquer momento, mas mantêm a compostura. Talvez até estejam a rezar por ela, ao mesmo tempo que também são bons soldados. Boas raparigas. A sua treinadora, Tania, é inescrutável, com as costas muito direitas e um sorriso delicado nos lábios. O seu rosto é uma folha de papel em branco sobre a qual pode ler-se o bem ou o mal, dependendo de como te sentes. Se estiveres de bom humor, poderias desenhar-lhe uma gargalhada.

Nadia aproxima-se para me acariciar a cabeça. Carla imita-a. Outra vez.

— Lembram-se desse treinador romeno tão cão que deu um pontapé na barriga da sua ginasta? — pergunta Carla, acariciando-me a cabeça. — A mijona?

Digo que sim com a cabeça. Primeiro, porque Carla acrescenta com frequência a palavra *mijona* à palavra *romeno*. Tal como as raparigas polacas acrescentam sempre *mafiosi* a qualquer nome italiano. Segundo, porque, quando descobri que aquela ginasta fez xixi quando estava nas paralelas, soube que nunca seria capaz de me esquecer disso. Quando a rapariga acabou os seus exercícios, o treinador intercetou-a à saída e, pensando que estariam escondidos na zona do corredor, deu-lhe um pontapé com tanta força que a rapariga se dobrou de dor.

— Estão loucos — diz Carla. — E essa rapariga era uma mijona. Tenho a certeza de que terão torturado a Angelika mais do que deviam e a partiram.

— Imagina-a com ramos na boca — diz Nadia, entre gargalhadas, ao recordar as palavras de Carla.

E a sua voz é igual a quando vê coisas.

Começa a tocar a música para a sequência de solo de Anna. Observo a sua sequência acrobática. Depois, o seu salto mortal à retaguarda. Está a fazê-lo bem, mas nota-se que o tornozelo lesionado afeta a sua execução. Sigo a sombra do seu corpo e percebo que ela também emagreceu muito. Esta semana não deve ter tocado na comida. Embora, claro, também possa ter acontecido nas duas últimas horas. Se quisermos, somos capazes de perder peso num dia. Só temos de parar de beber água.

Sabendo que não devia prestar mais atenção a Anna, porque já é uma causa perdida, Rachele aproxima-se de Nadia. Sinto o cheiro do seu batom daqui, da sua laca do cabelo, do seu champô. Das suas mentiras.

— Nadia — diz. — De onde vem essa cara? Parece que viste um fantasma.

Carla está atrás de nós. Acabou a sua atuação espetacular e agora está sentada em silêncio, a rezar, com o olhar fixo no quadro de pontuações. Tenho a certeza de que está a recordar a Deus que ela é o seu anjo e que os seus inimigos devem desaparecer do seu caminho para a glória.

Doem-me as costas, também os pés e quase toda a mão, e a dor é pior onde o calo levantou. Quero pôr desinfetante, sentir esse ardor tão terrível e depois nada. Tento rezar uma oração inventada e depois paro. Falta-me o vocabulário. Os deuses.

— Nadia, estás bem — diz Rachele. — Quero que saibas que estás matematicamente bem.

— Porque me dizes isso? — pergunta ela.

— Digo-to para que não tenhas medo. Estás bem, estás entre as dez primeiras.

A nossa treinadora já não pode lidar mais com isto. Ou talvez nunca tenha conseguido fazê-lo e nós fôssemos demasiado pequenas para perceber. As suas palavras soam mal, em muitos sentidos. Volto a somar os números e, de facto, Nadia não está nada bem. Carla está muito acima dos sessenta e ela sim, está bem. Mas Nadia ainda tem de fazer os seus exercícios de solo, onde precisa de pelo menos 14,50 para se classificar entre as dez primeiras.

Nadia também deve ter feito os cálculos, porque vira a cara para o ombro, como um cão quando ouve uma voz que não lhe é familiar.

— Estás a mentir — diz a Rachele. — És uma mentirosa. Para de fazer isso!

— No fundo, já sabes que a Rachele é uma mentirosa — malquista Carla.

Rachele sabe que podíamos atacá-la entre todas. Sabe do que estamos a falar. Vejo a sua culpa. A sua preocupação. Alex também está pálido. Todos estão pálidos e todos são culpados. Podíamos empurrá-los a ambos para o pódio, como acusados num julgamento, e acusá-los, e julgá-los, e destruí-los à frente de todos. «Aqui têm as vossas medalhas», diríamos. E lançar-lhes-íamos medalhas que pesariam como pedras.

— Carla — diz Rachele. — Vamos acalmar-nos todas.

Carla nem sequer olha para ela. Tem o olhar fixo em Nadia.

— No entanto, Nadia — diz —, a única verdade é que, se ficares entre as dez primeiras, terás de tirar a roupa como prometeste. Se voltares para casa com um nojento 13,50 ou um mísero 14 ou algo pior, podes abandonar o clube sem olhar para trás. Pergunta se as espanholas te aceitam.

— És uma puta — responde Nadia.

Mas sorri. Rachele também sorri. Oxalá caíssem os dentes a todas.

— Faço-o por ti, meu amor.

Abraçam-se com tanta força que eu desvio o olhar e Anna e Benedetta fazem o mesmo.

— Tens razão. As promessas são promessas, um pacto é um pacto — diz Nadia. — Uma mentira é uma mentira, e o «K» está morto e o «K» não está morto.

— E os cães são cães e a neve supostamente continua a ser neve. Pouco importa. Agora mexe o teu rabo *sexy* e mostra-nos o que sabes fazer — diz-lhe Carla. — Destrói-as.

Rachele deve sentir-se excluída, portanto, repete:

— Mostra-nos o que sabes fazer, Nadia.

Cravo as unhas nas palmas das mãos e aperto os dentes com tanta força que sinto que se tornam pó na língua. Nadia dirige-se para o praticável e as suas pernas parecem mais rígidas do que o normal, como se fossem as pernas de uma boneca. A luz aqui nunca me pareceu tão intensa. Enquanto Nadia se dirige para o praticável, mostra-nos as suas costas arqueadas como a vi fazer mil vezes ou um milhão. Vejo o seu passado. O seu presente. Se continuar a olhar, é provável que também acabe por ver o seu futuro, o seu corpo com o maiô, a engordar, a tornar-se grande.

Começa a música e, quando Nadia começa a mexer-se, fecho os olhos. Quando volto a abri-los, está a dar um salto. Um *Tsukahara*.

Um encarpado árabe. Carla aperta os punhos e Rachele masca a sua pastilha elástica com veemência. Na bancada, Karl levanta-se para ver melhor e eu sinto pena dele. Talvez esta tarde eu o ajude a entender.

— Aqui, não há espaço para ti — dir-lhe-ei. — Foge delas e de nós o mais depressa que puderes.

Vejo que alguns polícias se aproximam de Karl. Volto a olhar e vejo outros três que se aproximam do júri e outro que se dirige para nós.

— Olha — diz Anna. — Há polícias por todo o lado.

Nadia acaba a sua atuação impressionante com um duplo mortal com uma pirueta; só uma pequena hesitação e depois os seus pés rececionam com força no chão. Cumprimenta com elegância, uma lágrima cai-lhe pela face e Carla aplaude.

Foi fantástica. Eu também sorrio.

Carla aproxima-se dela e Nadia olha para Karl, para Carla, para a polícia, para os espetadores e para os juízes. Olha para a neve lá fora, tanta neve que já não se vê o céu, o ar, o presente. Olha para as luzes por cima das nossas cabeças, olha para os cortes das mãos, olha para Rachele. Para Alex. Volta a olhar para Carla, o seu único amor, enquanto o seu 14,70 aparece no quadro, tão impressionante que parece enorme, e tão magnífico que lhe outorga um total de 56,88. Começo a aplaudir com as outras, até ver Nadia a piscar um olho a Carla.

Então, vejo-a a tirar uma das mangas do maiô cor-de-rosa.

Ao longo dos anos, pensei em pelo menos vinte formas diferentes de deixar a ginástica. Algumas noites, antes de adormecer, até preparo o discurso de despedida que faria. Escolho o tom de voz e o olhar que quero que recordem de mim. Dirão: «Então, quando começou a falar, fez esse olhar». Podia escolher ir de forma espetacular, a gritar que estão todos cegos, que somos escravas, que os adultos abusam de nós, que poderíamos morrer todos os dias para executar um *Tsukahara* na perfeição. Outras vezes, imagino-me calma e muito sábia. Um monge. Explico que, embora este fosse o meu sonho, as competições não têm nada a ver comigo, que me sinto a um milhão de anos-luz delas e que o mundo não cabe num ginásio. O mundo não é retangular nem tem o chão coberto de linóleo. E pergunto-lhes como é que quase nunca podem abrir-se as janelas dos ginásios. Estão seladas ou situadas demasiado alto ou são demasiado grandes para nós, para que não possamos deixar entrar o ar fresco.

— Lá fora, há ar fresco, sabem? — sussurrarei.

Acrescentarei que, há muitos anos, ouvi o Vittorio a falar com a sua substituta, a Rachele, e o que ouvi deixou-me aterrorizada. Era uma história simples, mas que me ficou gravada durante anos, pois esperava que me fosse útil em algum momento da minha vida.

— Agora, quando treino as pequenas — disse Vittorio —, rezo para não encontrar um talento verdadeiro. Não quero voltar a encontrar uma campeã em toda a minha vida e ter de ser responsável por a levar para uma vida terrível.

— Vá lá — respondeu-lhe Rachele. — Nós adoramos a ginástica.

— Sinto pena delas. Tu também devias sentir pena.

Não é nada bom que as pessoas sintam pena de nós, pensei então.

Portanto, direi tudo e di-lo-ei bem. Por essa razão, componho os meus discursos na ordem correta, uma passagem posta na perfeição atrás de outra, uma palavra cuidadosamente escolhida atrás de outra. Uma reviravolta na trama e uma lágrima, uma reflexão, seguida de um ataque de raiva.

— Lá fora, há ar fresco — repetirei. — Há luz ultravioleta.

Nessa altura, é provável que se riam e me façam peidorretas. Fazendo muito barulho. Peidorretas barulhentas, uma atrás de outra. Mas eu continuarei a falar e acrescentarei que ouvi o treinador Vittorio a dizer que somos vítimas e que somos tão baixas porque nunca apanhamos a luz direta do sol, portanto, não somos capazes de sintetizar a vitamina D, que ajuda a fixar o cálcio aos nossos ossos.

— Em resumo, não é nenhum milagre ser tão baixa. É uma experiência científica — direi. — Estamos doentes.

Então, executarei sete piruetas alegres e dois triplos saltos mortais seguidos e talvez alguém chore e, a partir desse dia, recordar-me-ão para sempre.

Mas, na manhã seguinte, já não quero deixá-la. E, no fundo, sei que as competições têm muito a ver comigo. Gosto de estar num ginásio sem luz ultravioleta, mais do que em qualquer outro lugar. Sendo sincera, até gosto de ter medo. As janelas fechadas não são realmente um problema e o ar fresco e a luz entram pelas portas de qualquer forma. Quando faço uns bons exercícios de solo ou dou um salto perigoso, todas as peças parecem encaixar no seu lugar, incluindo as palavras que digo a mim mesma no autocarro de regresso a casa, para que também goste dessa terça-feira, e da quarta-feira que virá a seguir.

— Este é o teu mundo, Martina. Esta é a tua família — digo a mim mesma. — Na verdade, nunca se abandona a família.

Enquanto vê como Nadia agarra a manga cor-de-rosa coberta de lantejoulas, Carla parece estar prestes a desmaiar. A sua cara tem essa cor que temos quando a pressão sanguínea baixa para cinquenta, para trinta, para dez. Tem os lábios escuros e a pele cinzenta. Nadia, por outro lado, tem as faces coradas e um daqueles sorrisos amplos que esboça sempre. Os sorrisos que esboça quando as estatísticas estão do seu lado ou quando Carla lhe dá um abraço ou um beijo ou algo. Aproximo-me de Anna e de Benedetta, que também se aproximaram de Rachele.

— É uma aposta — explico. — Algo que prometeram uma à outra.

Olham para mim, aterrorizadas. O medo que se vê nas pupilas de Rachele tem a forma do lobo que todas procurámos. Nadia tira a primeira manga e deixa-a a pender por baixo da axila. Tem os pés quietos e o olhar fixo no de Carla. Tira a segunda manga e roda sobre si mesma. As mangas elevam-se no ar como um moinho de vento de brincar multicolorido. As outras ginastas nas paralelas olham para ela. Vejo que alguns dos rapazes se viram lentamente para ela e levantam-se das suas cadeiras para poder vê-la melhor. Vejo que se iluminam os telemóveis nas bancadas, câmaras de vídeo que apontam para ela. Vejo *flashes* de fotografias. Vejo as suas lágrimas. As de Rachele.

Carla dá outro passo para Nadia. Talvez queira fazer a pose do braço do Popeye. Ou queira beijá-la à frente de todos e, assim, a nossa equipa fará história e recordar-nos-ão através dos séculos, ámen. Sei que Carla quer resolver a situação.

— Para — diz. — Agora mesmo.

— Prometi-te, Carla. Matematicamente, estou entre as dez primeiras, portanto, despir-me-ei.

— Se o fizeres, vais estragar tudo para todas.

— Então porque me fizeste prometê-lo?

— Só queria que não tivesses medo! Que pensasses noutra coisa. Uma estupidez.

— Nunca tive medo. Tu é que tinhas.

— Mas tu és parva ou quê?

— Se não tirar a roupa, trar-nos-á azar.

Nadia põe os dedos por baixo da licra do maiô, perto dos seios.

Ambas as mangas pendem agora como trombas de elefante, a sair das axilas. Gostaria de dar um caju a essas trombas de elefante.

— Vamos fingir que só estás a ajustar o maiô, está bem? — diz-lhe Carla. — Ajudar-te-ei. Mesmo assim, não parecerá muito realista, mas talvez isso desvie a atenção.

— Quero despir-me. Uma promessa é uma promessa.

Carla olha para ela com ódio. Agarra-a pelo braço e segura-a com força, como a minha mãe costumava agarrar-me quando eu não queria segui-la. Sentia os seus dedos afundados nos meus bíceps e, quando finalmente me soltava, ficavam marcas vermelhas na pele. Não acho que a minha mãe se apercebesse da força com que me agarrava. Mas apertava-me com força e magoava-me sempre.

Carla desenrola uma manga e volta a pô-la na mão e no braço de Nadia. Depois, faz o mesmo com a outra manga. Põe-se de cócoras para verificar se a parte traseira do maiô está bem posta e fá-lo com tal segurança em si mesma que eu fico a olhar para o maiô para ver se se passa alguma coisa. Nadia deixa que Carla acabe. Já não tem as faces coradas e também não parece contente.

— Estragaste a magia, Carla — sussurra.

Nadia anda junto dela, de cabeça baixa, de volta para o banco. Veste outra vez o fato de treino. Todas fazemos o mesmo. Alex e Rachele falam com alguns jornalistas. Depois, entre eles. Empurram Carla para a frente para que tire algumas fotografias. Para responder a perguntas e apertar mãos. Carla sorri. Nós também sorrimos.

Ao fim do dia, estamos tão emocionadas por nos termos saído tão bem na competição que tentamos esquecer o episódio do maiô, juntamente com outros episódios e monstros que nos atormentam. Eu fui perfeita na trave olímpica e obtive um brilhante 14,60. Fi-lo ainda melhor do que Nadia nesse aparelho e isso, hoje, transforma-me na segunda melhor da equipa a fazer elementos de equilíbrio na trave, mesmo atrás de Carla. Talvez Rachele decida apresentar-me para a seleção da equipa nacional. É uma pena a minha receção nas paralelas assimétricas, sim, claro, e uma pena que tenha magoado o meu pé esquerdo, que não estava quieto, mas fi-lo o melhor possível, todas fizemos o melhor possível e isso notou-se. O meu cabelo curto ajudou-me; assim como a floresta e a neve. Hoje, a Carla é a medalhista que consegue o ouro, a Nadia fica entre as dez primeiras e eu consigo infiltrar-me no décimo segundo lugar, o que é fantástico para mim. É mais do que incrível, é uma revolução. Talvez Benedetta não esteja com as outras nas Olimpíadas e Anna tenha de trabalhar mais na sua autoestima, mas, bom, e quem não? Estamos em estado de graça, estamos todas vivas, Nadia não se despiu à frente de todos e, por enquanto, não podemos desejar mais nada.

— Um corpo, um coração — sussurramos todas.

Quando Carla se dirige para o pódio para receber a sua medalha de ouro, todas a recebemos com ela. A multidão aplaude e enlouquece quando faz o gesto do Popeye. Apesar dos olhos tristes de Nadia, gritamos de felicidade. Abraçamo-nos todas, depois aproximamo-nos das bancadas para assinar autógrafos para as meninas pequenas que querem ser como nós. Vamos passando a medalha de Carla para que cada uma de nós lhe dê um beijo. Também beijamos a bandeira do clube, depois abraçamos Rachele. Alex também nos abraça, mas eu deixo os braços ao lado do corpo, tal como as mangas vazias do maiô de Nadia.

Recostamo-nos nos bancos do pavilhão gimnodesportivo e olhamos com ódio para as chinesas e para as russas como se fossem inimigas mortais, mas já as imaginamos longe de novo, pensamentos distantes de um futuro distante. Existiam aqui, durante esta semana, e ocuparam um espaço na nossa mente e no nosso coração durante este tempo. Agora, já podem voltar a desaparecer.

— Senhoras e senhores, lamentamos informar-vos de que a ginasta romena Angelika Ladeci desapareceu — diz o locutor pelos altifalantes. Depois, repete a mensagem em romeno. — Por favor, comuniquem se a viram e estejam atentos. Repito, a ginasta Angelika Ladeci, loira, de um metro e quarenta e cinco, desapareceu.

A equipa romena está sentada à nossa frente. A sua treinadora mantém o queixo erguido; continua a ter o olhar mais neutro que vi na minha vida. Estará desesperada? Estará calma? Será realmente uma pessoa e não uma máquina? Cada uma das suas atletas é forte e, como equipa, demonstraram com acréscimo que são mais fortes do que nós, do que quase todas as outras equipas. Mas é verdade, sem Angelika, falta-lhes uma estrela e nós temos a Carla.

— Lindas meninas! — exclama Rachele. E abraça-nos outra vez. — Não se preocupem. Agora, vamos mudar de roupa, está bem?

Eu engulo saliva duas vezes, mexo o pé duas vezes e tamborilo com os dedos sobre os joelhos, mas o número dois está a começar a deixar-me nervosa. Parece um número um, se pensar bem. Uma imagem refletida que se revela demasiado equilibrada. Tento morder o lábio três vezes e passo a mão pelo cabelo três vezes. Resisto durante uns segundos, desfrutando da mudança, desfrutando da revolução, mas devo equilibrar as contas imediatamente e começo de novo com múltiplos de dois e com repetições de dois. Depois de dez repetições, continuo a sentir que, no fundo, a harmonia se viu alterada pelas séries de três.

Chegam mais polícias. Os juízes abanam a cabeça e franzem o sobrolho. Quando, pelos altifalantes, informam que a competição dos rapazes será adiada, Rachele diz-nos que está na hora de voltar para o hotel e que, assim que souberem alguma coisa, nos dirão o que aconteceu a Angelika e o que acontecerá com a competição dos rapazes.

Vestimos os casacos de penas. Calçamos as botas.

— Alguém quer ligar para casa? — acrescenta. — E quem quer jantar uma entrada, um prato principal e talvez repetir a sobremesa? Temos de celebrar.

Nadia e Carla entreolham-se e sorriem. Talvez queiram comer a sobremesa. E certamente querem celebrar.

— Amo a Roménia — diz Carla. — Amá-la-ei para sempre. Ámen.

— Ámen — repetimos todas.

— A todas vos apetece tomar um duche quente? — pergunta Rachele.

Penso em jorros de água quente sobre a minha cabeça, a massajar-me os ombros. Certamente, apetece-me. Aumentarei a pressão da água e ficarei lá em baixo pelo menos dez minutos, sabendo que este dia já quase acabou, que a competição não me matou nem me destruiu. E que voltamos para casa com uma medalha de ouro e com a equipa intacta. Na segunda-feira, voltarei aos meus medos, mas hoje posso descansar.

— A mim, apetece-me tomar um duche — respondo.

Cubro a cabeça com o capuz e sigo a equipa.

Saímos para o frio exterior gélido e sentimos a neve tão suave por baixo dos pés que me sinto como se continuássemos no praticável, preparadas para saltar. Sorrio, mas o vento sopra com tanta força que tenho de secar as lágrimas por causa do frio.

— Andem em fila atrás de mim e não desapareçam — diz Rachele. — Está a escurecer e já estamos bastante preocupados com a Angelika.

— Nós também estamos preocupadas — garante Carla, embora não pareça absolutamente preocupada.

— Entretanto, mantenham os olhos bem abertos a caminho do hotel, está bem? — diz Alex.

— Mantenhamos os olhos bem abertos! — exclama Carla. — De certeza que, assim, seremos de grande ajuda.

Começa a comportar-se como se fosse uma máquina com olho de águia e um pescoço giratório. Um radar, talvez. Ou um lince. Os dentes de Rachele batem e percebo que os meus também.

— Apetece-me um duche quente — repito.

— Nós sabemos, querida — responde Rachele. — Já o disseste.

Continua a nevar com força e as equipas e a polícia desaparecem com todo esse branco. Nunca esteve tanto frio e a neve chega-nos quase até aos joelhos. Os dois homens urso com os casacos já devem estar exaustos, talvez já não se riam. Acho que poderiam ser as minhas duas pessoas favoritas do mundo inteiro.

Embora esteja a morrer de frio, cada respiração recorda-me que estivemos muito bem na competição. E que o torneio acabou, portanto, posso parar de visualizar os mil resultados diferentes que poderia ter tido. Esta noite, dormirei profundamente e, quando acordar, poderei pensar noutras coisas. Ao jantar, comerei tudo o que quiser, carboidratos, queijo, duas sobremesas, provavelmente, sim, de certeza que duas, e amanhã iremos para casa e quase estou desejosa. Poderei acabar umas palavras cruzadas meio feitas com o meu pai. Poderei ser a sua ratinha boa na sua casinha de ratos durante pelo menos um dia ou dois.

— Depressa — apressa-nos Anna. — Que está um frio desgraçado.

Benedetta e Rachele aceleram o passo. Carla segue-as, com Alex ao seu lado.

— Foste fabulosa — diz-lhe. — Foste a melhor com distinção.

— Obrigada. Senti-me incrível.

— Somos uma grande equipa — acrescenta Alex. — Um corpo, um coração.

— Suponho que sim — diz Carla, e olha para outro lado.

Tenho de decidir se devia andar devagar como Nadia ou depressa como as outras. Mas o outro grupo está com Alex, portanto, estou melhor sozinha. Olho para o céu e os cristais de neve caem-me nos olhos. Faltarão uns cinco minutos para escurecer.

— Martinaaa! — grita Carla. — Martinaaaa! — grita, de novo.

— Martinaaa! — continua a ser Carla.

— O que foi? — grito eu, e corro para elas.

Uma das atletas romenas vem atrás de nós e cai na neve. Tania, a treinadora, grita-lhe, portanto, olhamos. A rapariga está a chorar. A treinadora está muito perto dela e dá-lhe um empurrão para que se levante. Tania não é assim tão indecifrável. E, certamente, não é assim tão doce.

Carla aproxima-se de mim.

— Talvez bata à Angelika — murmura. — É muito violenta.

— Suponho que sim — respondo, imitando a sua voz de há uns segundos.

Algumas equipas fazem-me pensar nesses filmes em que os soldados gritam uns com os outros cara a cara. Mas talvez as romenas estejam também a fingir, para parecerem mais fortes e mais duras, e talvez estejam a representar uma cena neste momento, só para nós. Mais tarde, em segredo, rir-se-ão todas e darão abraços.

— Achas que fugiu? — pergunto a Carla. — Talvez o seu fisioterapeuta também toque nela. E é por essa razão que esta ginasta está a chorar agora.

— Que louca que tu és! Talvez a sua colega de equipa esteja a chorar neste momento porque odeia a Angelika — continua Carla. — Abandonou-as a todas.

Estamos perto da ponte e a polícia está a acender as suas lanternas para rastrear o campo. Alguns dos feixes de luz chegam até onde estamos; outros raios são como pirilampos que pousam nos edifícios e na floresta escura.

— Deus ajudou-nos — diz Carla. — Ámen.

— Ámen — repetimos todas. E não sei se este «ámen» impregnado de culpa nos perseguirá para sempre.

Nadia corre para nós. Está a sorrir e, quando retribuo o sorriso, pisca-me um olho. Imito-a apenas com o meu olho esquerdo. Mas, como tenho de fazer as coisas em sequências de dois, tenho de pestanejar outra vez com o direito. Engano-me, faço uma porcaria e sinto pena de mim mesma.

— Agora, vamos mais devagar — sussurra-me Carla ao ouvido.

— Quem?

— A Nadia, tu e eu.

— Mas porquê?

— Porque vamos mais devagar, depois correremos para a escuridão, pararemos e esconder-nos-emos por uns minutos. Assim que a costa estiver limpa, iremos procurar a Angelika.

O meu coração aperta-se. Como quando estou entre um banzo e o seguinte, entre galáxias, como quando estou com a Carla e a Nadia.

— Não somos só ginastas com medalhas de ouro que estão entre as dez primeiras, mas também somos heroínas. Não seria fantástico? — diz Carla.

— Suponho que sim — repito.

— Para de dizer «suponho que sim».

Mais adiante, Rachele vai a falar a toda a velocidade com Alex e não param de dizer «Sim! Sim! Sim!». Anna ri-se e, quando Alex grita «Sim!», eu diminuo a velocidade. E afrouxo um pouco mais enquanto Rachele recita de novo a lista de medalhas que ganhámos. Vão a andar depressa por causa do frio e não demoram a afastar-se. Rachele vira-se uma única vez e as três levantamos os polegares. Responde-nos com o mesmo gesto e parece satisfeita. Ainda posso mudar de opinião. Se não quiser seguir a Carla e a Nadia, só tenho de correr para a Anna e, num abrir e fechar de olhos, alcançaria a Rachele e o Alex.

— Queres deixar que morra de frio? — pergunta-me Carla, ao ver-me a hesitar.

Nego com a cabeça. Quero ser uma heroína e não quero deixar que a Angelika morra de frio. Também não quero ir com o Alex ou ouvi-lo a dizer «sim». Está aqui a polícia, e também os ursos que limpam a neve com a pá; como íamos ser nós a encontrá-la? E, além disso, a Carla e a Nadia não têm medo dos lobos?

— Portanto, queres que a sua morte seja culpa tua? — acrescenta Carla.

— Não. Mas tenho muito frio.

— Não digas parvoíces. Eu cuidarei de ti e aquecer-te-ei cada vez que quiseres.

Carla, Nadia e eu diminuímos a velocidade. Numa questão de segundos, todos os outros desaparecem.

— Dez, nove, oito, sete, seis, cinco — conta Carla.

Ao chegar ao quatro, ainda conseguimos ouvir as suas vozes. Ao chegar ao dois, as vozes desapareceram. Ao chegar ao um, Carla agarra-nos as mãos e corremos juntas para o nada. A neve amortece todos os sons. O vento apaga-os para sempre. Quando nos afastamos algumas dúzias de metros, agachamo-nos na escuridão. Carla e Nadia continuam de mão dada e eu amaldiçoo em silêncio os meus pés por seguirem o caminho errado, por não correrem em direção a Rachele, em direção ao meu duche quentinho e à dose dupla de sobremesa. Tenho de fazer xixi e, nesta posição, tenho ainda mais vontade.

— Está uma noite linda — comenta Carla, passado um momento. — Muito romântica.

— Cheia de estrelas — acrescenta Nadia. — Também encomendei esta lua imensa para celebrar a tua medalha de ouro e a nossa final gloriosa.

Carla e Nadia levantam-se. Começamos a andar de volta em direção ao ginásio e contornamos a floresta. Agachamo-nos para sermos ainda mais pequenas e ainda mais invisíveis para as lanternas da polícia, que poderiam apanhar-nos. Descemos pelo vale, fingindo que somos serpentes e fantasmas, depois endireitamo-nos ao chegar de novo à ponte. Andamos mais, devagar ao princípio, mais depressa depois, e o ritmo dos nossos passos no metal é o mesmo do que o dos nossos batimentos.

Enquanto estão de costas para mim, tento enviar uma mensagem aos meus pais sem olhar para o telemóvel. Escrevo que a competição correu bem. *Um abraço*, escrevo ao meu pai. *Rato de todos os ratos. Um beijo da rainha ratinha*, escrevo. Guardo o telemóvel no bolso e alcanço as raparigas.

— Pareces uma tartaruga — diz-me Carla. — Lenta e preguiçosa.

Os meus passos transformam-se de novo nos seus passos, até que Nadia para a meio da ponte. Penso que talvez vá gozar comigo porque me viu a enviar as mensagens e porque não lhes obedeço nem me mexo muito depressa. Mas, então, percebo que nem sequer está a olhar para mim.

— Está um frio de rachar, estúpida — diz-lhe Carla. — Mexe-te.

Nadia não responde e não se mexe. Eu já estou bastante farta das suas manias, dos seus bloqueios e da ideia absurda de ir procurar Angelika. Está a escurecer e passámos o dia todo a competir. Carla renunciou a Karl, voltámos a ser vencedoras e Nadia continua a castigá-la. Já chega.

— Nadia, o teu período vai parar com este frio — diz-lhe Carla. — O teu sangue vai congelar na barriga. Vamos.

Nadia respira fundo, depois corre para a beira da ponte. Corre como se fosse saltar por cima dela e precipitar-se para os carros que passam por baixo. Fico com a boca aberta.

— Nadia! — ouço-me a gritar. — Nadia!

Olho à volta para ver o que acha que vai servir-lhe de paralela assimétrica ou de mesa de saltos. Poderia agarrar-se a alguma coisa e impulsionar-se para o céu sem estrelas. Carla e eu não conseguiremos vê-la na escuridão, embora talvez a ilumine alguma lanterna e, então, a sua queda será espetacular. Provavelmente, escolherá um salto *Thomas* para a sua despedida. Subirá. Descerá. E ouviremos depois um golpe contra a autoestrada. Depois, só silêncio.

Não quero vê-la a morrer. Sei muito bem que não quero vê-la a morrer.

— Nadia! — grita Carla.

Eu dou outro grito e viro-me. Conto até dois, talvez nem sequer chegue ao dois e, por baixo dos nossos pés, um camião toca a buzina e os outros carros apitam. Espero para ouvir o chiar dos travões. O som do seu corpo ao esmagar-se contra o asfalto lá em baixo. Mas o som não chega. Ouço outra buzina. Se Nadia saltou, terá provocado um acidente. As buzinas param de tocar e ouço que Carla também começa a correr. Viro-me, ainda com os olhos fechados. O domingo da revolução está a acabar de um modo horrível.

Então, prestes a desmaiar, a vomitar, a gritar, atrevo-me a

voltar a abrir os olhos e vejo que Nadia continua ali. Parou à beira da ponte, tem o peito apertado contra o corrimão, o céu já está negro à frente dela e o eco vibrante das buzinas cessou à nossa volta. Talvez Carla tenha estalado os dedos para quebrar o feitiço ou tenha pronunciado umas palavras mágicas. Talvez Nadia tenha parado antes e nunca tenha querido morrer.

— Idiota — diz-lhe Carla.

Nadia vira-se e sorri. Está ofegante. O seu peito sobe e desce, levantando-lhe o casaco. A sua respiração forma um milhão de nuvens pequenas no ar frio.

— O que achavas que ia fazer? — pergunta.

— Vai-te foder, assustaste-me.

— Achavas que ia suicidar-me.

— Quem te dera, psicopata.

Começamos a andar de novo. O queixo de Carla treme, mas age como se não tivesse acontecido nada. É o que fazemos sempre, portanto, também o fazemos agora. Descemos uns degraus situados ao lado da ponte e aproximamo-nos da floresta. Temos os pés metidos na neve, que nos chega até aos joelhos. Depois, até às ancas. Toco na ponta do nariz e descubro que é o nariz de um boneco de neve. Agora, é uma cenoura, portanto, toco nele pela segunda vez para que se transforme de novo no meu nariz.

— Para com isso! — exclama Carla. — Estão as duas completamente loucas. O pior é que nem sequer percebem.

— Por um segundo, o meu nariz era uma cenoura — explico.

— Claro que sim. A mim, acontece-me isso constantemente.

Ri-se e ouvimos as sirenes da polícia a aproximar-se. Ficamos na escuridão e vemos como algumas das outras equipas e os seus treinadores andam em fila para o hotel, para os seus quartos, para o calor, para os duches quentes e a possibilidade de repetir a sobremesa. Distingo os ursos com os seus casacos, que tal como nós olham à sua volta e gritam o nome de Angelika. Os polícias dizem uns aos outros: «Iremos por aqui, vocês vão por ali». Karl, bonito, mas rígido como um brinquedo de plástico, adianta-se à polícia e dirige-se para o hotel. Nadia aponta para o interior da floresta.

— Por aí? — pergunto. — Tens a certeza?

— Sim, tenho a certeza, nariz de cenoura.

Carla assente e começamos a correr, atentas às outras equipas, à polícia, a todos. Evitamos as suas lanternas e, mais rápidas do que a luz, mais rápidas do que os seus passos e as suas vozes, precipita-mo-nos para a frondosidade das árvores. Sentimos vontade de nos rir. Mas, então, olhamos à nossa volta e não vemos nada. Acende-mos as lanternas dos nossos telemóveis.

— Onde estamos? — pergunto.

— Onde estamos? — imitam-me, num tom lastimoso.

Carla agarra a mão de Nadia e começa a andar depressa, aden-trando-se na floresta, seguindo a luz da sua lanterna. A sua atitude recorda-nos que, mesmo aqui fora, continua a ser a chefe. E mes-mo aqui fora, é a nossa medalhista de ouro. Como não quero dar-lhe mais nenhuma satisfação, paro de falar e prometo a mim mesma que nunca mais voltarei a pedir-lhe nada, nunca, no que me resta de vida.

Chegamos à parte mais frondosa da floresta e ouvimos vozes que gritam «Angelika!» e outras que as mandam calar, com a esperança de ouvir a voz da rapariga, os seus gritos de socorro. Nós andamos ao longo de um caminho por onde as árvores se tornam mais altas.

— Quero regressar ao hotel — digo-lhes, esquecendo a minha promessa de nunca mais voltar a falar.

Carla aponta a lanterna para os meus olhos. As pupilas con-traem-se tão depressa que sinto que me ardem os olhos.

— Quero regressar ao hotel — repete, imitando-me de novo, fazendo com que as minhas palavras pareçam estúpidas.

Continua a andar, por isso, eu também. Para deixar ainda mais claro que está a gozar comigo, tira o gorro e volta a pô-lo duas vezes e também puxa o fecho do casaco para cima e para baixo duas vezes e diz «Quem sou?». Nadia e eu não respondemos, portanto, depois de mais algumas tentativas, para de se meter comigo e começa a brincar com a luz da lanterna. Nadia parece cansada, mais cansada do que eu.

— Achas que vais desmaiar? — pergunto-lhe.

Não me responde. A semana quase acabou e Carla e Nadia querem resolver as coisas e a primeira coisa que têm de fazer é livrar-se da aborrecida Martina e voltar a estar sozinhas contra o mundo. Mas, porque é que Carla terá insistido que as acompanhasse à floresta se me odeiam tanto? Vão castigar-nos a todas, isso é certo. A não ser que encontremos Angelika. Então, perdoar-nos-ão e seremos famosas em todo o universo e faremos história. Nós, as boas raparigas. Nas fotografias, Carla aparecerá a fazer o braço do Popeye. Nadia fará uma reverência. Eu acariciarei a cabeça enquanto sorrio com humildade.

— Era o correto — declararemos.

A floresta torna-se mais escura e frondosa, e Carla tropeça na raiz de uma árvore. Vemo-la a desaparecer por trás de um monte de neve e dá um grito. Nadia aperta-me as mãos. Dirigimo-nos para Carla, mas, sem a ajuda da lanterna, é difícil. Sinto a respiração de Nadia nas orelhas e tenho vontade de voltar a perguntar-lhe se está prestes a desmaiar. A sua respiração soa estranha, como a de um cão. Imagino-a com uma língua compridíssima, como um dobermann. Dar-lhe-ia água. Carne. Chegamos à raiz da árvore, passamos por cima dela e, ao inclinar-nos para a procurar, Carla salta para cima de nós de trás de um monte de neve.

— Uooo! — grita e começa a dar saltos com os braços estica-dos e a lanterna a apontar para o queixo. — Uooo! — grita de novo.

— Vai-te foder! — digo-lhe. — Estúpida!

Nadia está furiosa. Dá um empurrão a Carla e tira-lhe o tele-móvel. Vai-se embora zangada e começa a afastar-se de nós, portan-to, seguimo-la e Carla não para de se rir. Eu já estou a recuperar do choque, de modo que também tenho vontade de me rir, porque a torrente de medo acordou-me. Ao fim e ao cabo, não é assim tão mau dar um passeio pela floresta, nem fazer brincadeiras que nos assustam durante um segundo ou dois e, além disso, é uma boa aventura, um bom pano de fundo, um dos muitos que terei no fu-turo, por todo este mundo. Em florestas, em lagos ocultos de água quente e cristalina onde tomarei banho nua, em paisagens infinitas onde viverei sozinha. Tenho de aprender a construir uma casa e a acender uma fogueira.

Nadia anda cada vez mais depressa e, para seguirmos o ritmo dela, quase temos de ir a correr. Os ramos estão baixos, o peso da neve dobra-os como se estivessem tristes. Quando chegamos a uma clarei-ra, Carla levanta os braços e, de onde estou, parece que está a segurar entre as mãos a lua imensa que Nadia encomendou para ela, como se pudesse tocar-lhe se saltasse suficientemente alto. Hoje, ganhou tudo e hoje podemos acreditar em tudo.

— Voltemos para o hotel! — ordena, de repente. — Já fomos demasiado simpáticas com essa cadela da Angelika. Além disso, te-nho fome e sede. E nada disto é divertido.

Nadia parou junto de uma árvore. Carla aproxima-se para a abraçar, mas ela não se mexe.

— Não sei o que vamos fazer contigo, cabra louca — diz-lhe. — Pareces destroçada. E eu aborreço-me.

E eu imagino a Nadia literalmente destroçada, em pedaços

sobre a neve. Um dente aqui. Um dedo acolá. Pedaços de um olho e da sua cabeça. Um pé e todas as suas pestanas postas em fila sob uma tela branca. Então, Carla dá um grito e eu já não suporto mais; nem o grito, nem ela, nem as suas brincadeiras.

— Acabou-se! — digo-lhes. — Vou-me embora.

Quero deitar-me por baixo do edredão e ouvir música. Quero coisas fáceis, normais e quentes. Somos ginastas, sim, a nossa vida é difícil e está um pouco fodida, sim, mas agora, estamos a abusar. É aqui que ponho o meu limite. Mas, então, vejo que Carla leva a mão à boca, de modo que me viro para olhar na sua direção. Nadia está a chorar e vejo que Carla começou a tremer, portanto, forço o olhar e observo com mais atenção, até que vejo a Angelika atada a uma árvore. A cabeça dela pende para baixo e o cabelo cai-lhe pela testa. Junto dela, jaz a pá de um dos ursos com casaco. Não se mexe. Tem as pernas enterradas na neve, os braços atados com cordas. Na verdade, são ligaduras, das que usamos para pôr nas mãos e nos pés durante os treinos. As mesmas ligaduras que a rapariga chinesa usou para se suicidar no duche.

«Angelika — penso. — Encontrámos-te.» Os seus braços atados são, na verdade, um só braço.

Sinto que as minhas pernas se transformaram em pedra. E em gelo. Já não sei como as mexer. Mas Nadia e Carla permanecem inertes, de maneira que agarro uma das minhas pernas, depois a outra, e dirijo-me para Angelika. Não suporto vê-la ali sozinha, tão quieta, gelada. Mas, sobretudo, a neve que lhe cobre as pernas parece-me uma tortura insuportável. São duas pernas?

— Angelika? — digo-lhe. — Estás bem?

Carla segue-me sem tirar a mão da boca. Nadia está a chorar atrás de nós e tenho vontade de a deter, a sério, para sempre. Ámen.

— Cala-te, Nadia! — digo-lhe. — Fecha a boca.

Ajoelho-me e vejo que a neve está há tanto tempo a cair em cima de Angelika que lhe chega até à barriga. Levanto-lhe a cabeça e desvio o olhar imediatamente. Vomito. Carla e eu afastamos a neve com as mãos, como cães que escavam à procura de um osso, depois com a pá do urso, e soltamos-lhe as pernas.

— O que se passa com ela? — pergunta-me Carla, chorando.

Não se atreve a levantar o olhar. Sou a única que vê o rosto destroçado de Angelika. Com os dedos, também sinto uma fenda no crânio. Vomito de novo e volto a agarrá-la com as mãos. Levanto-lhe a cara e agora Carla também olha. A cara está branca. Azulada. E rasgada.

— O que raios se passa com ela? — grita. — Está morta?

Vêm-me à cabeça os lobos da floresta e as palavras «rasgá-la em pedaços». Vêm-me à cabeça com a voz de Anna. Carla sente vómitos, mas não lhe sai nada da boca.

— Meu Deus — repete uma e outra vez. — Quem fez isto?

Põe os dedos nas bandas elásticas, rasga-as com os dentes, consegue desatar Angelika e eu tento segurá-la logo. Tem a cara arranhada e sangue nas faces. Parte de um olho é mais azul do que o resto da sua cara. Faltam-lhe algumas partes. Por baixo da neve, tem o cabelo emaranhado pelo sangue, e o nariz coberto de nódoas negras e crostas.

— Um lobo começa pela barriga — explicara-nos Anna. — É o que gostam.

Não tenciono olhar para a barriga dela. Não quero tocar nela e não quero saber. Olho para as mãos e vejo que não estão manchadas com o sangue de Angelika. Talvez se trate de um sonho. Talvez seja uma das nossas rimas e truques, pura imaginação.

— O seu sangue não me sujou, talvez estejamos num sonho — digo, em voz alta, e arrependo-me imediatamente de pronunciar tamanha idiotice. Reparo com mais atenção e descubro que metade do meu casaco está coberto de sangue. Agora, também tenho as mãos sujas. Tudo parece mais escuro; a lua desapareceu. Tal como as nossas almas.

— Vai chamar a polícia! — grito a Nadia. — Vai chamar alguém!

Mas não se mexe. E não olha para mim. Em vez disso, olha para Carla.

— Vermelho, vermelho, azul, amarelo / Coca-Cola Fanta marmelo / dentes retos, pés retos / tu por mim, eu por ti / cocó amarelo, Fanta marmelo / eu cuido de ti e tu cuidas de mim — diz.

— Não me fodas, Nadia! — grita Carla. — Agora não! Vai chamar alguém, foda-se!

— Vermelho, vermelho, azul, amarelo / Coca-Cola Fanta marmelo / dentes retos, pés retos / tu por mim, eu por ti / cocó amarelo, Fanta marmelo / eu cuido de ti e tu cuidas de mim — repete Nadia.

Carla levanta-se com as pernas trémulas. Aproxima-se de Nadia. Eu não consigo mexer-me. Não consigo respirar e não quero ficar sozinha na floresta com a Angelika. Estas feridas são causadas pelas garras de um lobo? Também virão comer-me as pernas? Tento olhar para ela novamente. Vejo que tem a boca cheia de ramos; junto dela, está a tesoura que usámos para cortar o meu cabelo. Fecho os olhos de novo. «Imagina-a com ramos na boca», lembro-me de que disse Carla a Nadia. Então, olho para Nadia.

— Tu pediste-me — está a dizer.

— O quê? O que te pedi? — diz Carla. — Cala-te!

— Que lhe pusesse ramos na boca e lhe cuspisse nos olhos até ficar cega.

Carla dá um passo atrás e olha para mim, olha para Angelika. Depois, de novo para Nadia.

— Não vais dizer nada, Popeye? Tive de ser tão forte como tu para a vencer. Primeiro, tive de lhe bater na cabeça com essa pá.

Nadia imita o gesto do Popeye que Carla faz e ela recua mais um passo, mas Nadia avança para ela e empurra-a. Então, diz que lamenta.

— O quê? — pergunta Carla, muito devagar. — O que lamentas?

— Ter-te empurrado, só isso.

Carla começa a chorar com mais força. Está a abanar a cabeça e encolhe-se dentro do seu casaco. Tem muito frio e eu nunca a tinha visto tão encurvada.

— Estica as costas! — dir-lhe-ia a nossa treinadora. — Pareces uma velha! Encolhe a barriga. Não sejas tão dramática.

Mas aqui não há treinadores. Estamos sozinhas.

— Mas o que fizeste? — murmura Carla. Então, grita: — O que fizeste?

— Amo-te, Popeye.

Carla grita ainda mais, como se se tivesse cortado com alguma coisa. Cai de joelhos, soluçando com tal força que me sinto incapaz de o fazer. É como se ela soluçasse por todas. Nadia dá-lhe uma palmadinha nas costas. Depois, na cabeça. Parece orgulhosa, como quando o meu gato me ofereceu um lagarto morto. A presa era para mim. Era um presente.

— Bati-lhe na cabeça quando corria. Apunhalei-a com a tesoura — explica Nadia. — Atei-a à árvore. Pus-lhe os ramos na boca depois.

— Metes-me nojo! — grita Carla. — Estás doente!

— Fi-lo por ti. Por nós e pela equipa. Os lobos também devem ter-me ajudado. Que bonitos.

Seguro Angelika com força porque me parece a única coisa segura que posso fazer, o único lugar onde posso estar. Fico aqui, mesmo quando Carla se afasta a correr e Nadia fica à minha frente, a ver como Carla foge.

— Estás bem? — pergunta-me, com a sua voz mais doce.

Respondo que sim com a cabeça e, quando se vai embora, baixo-me ainda mais e faço xixi. Ensopo-me por completo e, por um instante, sinto o calor reconfortante, e isso parece-me o correto. De repente, estou tão cansada que poderia deitar-me aqui mesmo e dormir, sobre o colo destroçado de Angelika. Rebusco nos bolsos. Quero ligar à minha mãe, mas já não sinto as mãos. Deve ser por causa do frio. Ou porque a minha vida acaba. Agora, o xixi queima-me por baixo das calças, por trás dos joelhos. Imagino Angelika a morrer e tenho de parar imediatamente. Imagino Nadia na prisão. À frente da polícia.

— Algum dia, contarei à polícia o que o Alex faz — disse-nos, há alguns anos, a Carla e a mim.

Ela foi a única que me acompanhou quando fui falar com a Rachele e está claro que aquilo não funcionou. Depois, voltou a falar com ela a sós várias vezes e isso também não funcionou. Naquela altura, Carla limitou-se a revirar os olhos.

— Linda menina, tenta — disse. — Verás que depois disso continuará sem dizer nada.

— Fá-lo-ias mesmo? — perguntei eu a Nadia. — Serias suficientemente corajosa para contar à polícia?

— Se encontrar um polícia amável, sim, é claro.

Imediatamente, pensei que nunca encontraria um polícia amável. Mesmo assim, pareceu-me melhor do que nada. Pareceu-me algo a que podia aspirar. A que nos agarrar.

— Obrigada — disse-lhe, então.

— Porque haverias de me agradecer? — perguntou-me, rindo-se.

Coço-me e a cabeça de Angelika escorrega e fica apoiada contra mim. Endireito-a e levanto-me. Se me for embora, sou má, mas se ficar, congelarei. Começam a doer-me os pés, também a cara. Esbofeteio as bochechas duas vezes e sinto-me como se não tivesse bochechas. No seu lugar, há um buraco, como o que Angelika talvez tenha na barriga. Tento levantá-la de novo, pô-la ao ombro. É leve, muito leve, mas está rígida e não consigo agarrá-la bem. Os meus pés afundam-se na neve sob o meu peso e o dela. Não consigo ver nada, portanto, deito-a no chão e tapo-a com o meu casaco de penas.

— Vou chamar alguém — digo-lhe, embora não consiga ouvir-me. — Já volto.

Começo a correr. Está a nevar com mais intensidade e já estou farta de tanta neve e de tanta corrida e de tanta queda. Farta de tanta palavra, de tanta dor e de tanto medo. Estou farta deste domingo, de nós. Aperto os punhos e não sinto nada. Não foi só a minha cara que intumesceu, mas também as mãos e o coração. Sinto que vou a correr com a cara do meu pai em vez da minha. Quando era pequena, o meu pai ainda costumava ir treinar. As suas bochechas flácidas tremiam e ia com a boca aberta. Com cada passo, até os lábios ricocheteavam, com cada aceleração, a respiração também acelerava.

— O desporto mais barato do mundo inteiro — costumava dizer. — Nem sequer precisamos de sapatos.

Eu via-o da janela e ele sorria-me. Mil vezes, tinha imaginado que morria com esse mesmo sorriso. Imaginava-o a suicidar-se e a deixar um bilhete de suicídio com as palavras «sou feliz» escritas nele. Às vezes, o seu bilhete tinha a sua caligrafia; outras, a minha.

Amanhã, dir-lhe-ei que acabou. As minhas mentiras, as suas mentiras. Sei que não é feliz. Sabe que não sou feliz. Sei que está assustado e sabe que estou assustada. Sinto a sua respiração nas orelhas e afugento-o com a mão.

Enquanto corro pela neve, notando que os meus pés estão prestes a render-se, as luzes do hotel estão cada vez mais perto e, quando a cara do meu pai cai da minha, ainda sinto os seus passos atrás de mim, juntamente com os de Alex, de Angelika e de Nadia. Os de todos os treinadores que tive até à data. Vittorio. Rachele. As suas mãos, as suas vozes. As mãos de Alex, a voz de Alex. As vozes de todos os adultos do mundo.

Emerjo da floresta à frente do hotel e vejo Carla abraçada a Karl. Quando me vê, afasta-se e corre para Rachele. Estão todos ali fora, provavelmente à procura de Angelika. Carla está a soluçar. Tremem-lhe as costas, os ombros e a cabeça.

Nadia, ainda ao longe, anda pela neve na direção deles. Carla tenta olhar para ela, mas não consegue e volta a esconder o rosto entre os seios de Rachele, à sombra dessa franja enorme, agora congelada pelo frio e pelo terror. Sei exatamente como é o cheiro quando se está tão perto da treinadora e das suas mamas. Das poucas vezes que Rachele me abraçou, senti a mesma textura, o mesmo cheiro a suor, a creme e a desodorizante. Carla vai contar-lhe? Ou talvez sejam mais importantes a equipa, a competição e as Olimpíadas? O assassinato que Nadia cometeu também foi cometido por nós?

Um corpo, um coração.

A polícia não segue Nadia e ninguém se aproxima dela. Talvez Carla ainda não tenha encontrado as palavras. Agarra a sua medalha de ouro e chora com mais força. Alex abraça-a. Ela afasta-o com um empurrão. Vejo um *flash*, depois outro. Agora, Carla está a chorar de frente para as máquinas fotográficas dos poucos jornalistas que continuam aqui depois da competição, com um lado da cabeça apoiado em Rachele. Tem o rímel borrado, o que faz com que as suas faces pretas brilhem.

Os ursos com casaco, que limpam a neve, estão muito quietos e, como eu, agora olham para Nadia, enquanto as equipas, vestidas com os seus uniformes às cores, se reúnem no pátio e o gel do seu cabelo brilha na escuridão. Calam-se as sirenes da polícia, mas as luzes dos tejadilhos dos carros piscam e mudam a cor da neve, do céu, das caras daqueles mais próximos da estrada.

Da minha cara. Da de Nadia.

Tornamo-nos vermelhos. Depois, azuis.

Invade-me a cabeça a lembrança do fogo-de-artifício num asfixiante mês de agosto. Com a minha mãe e o meu pai. Tínhamos subido para uns contentores velhos, a minha mãe ria-se enquanto levantávamos o queixo para o céu para ver as cores a explodir. Subia-me um calor horrível pelos pés. Pensava que os sapatos iam derreter. A minha mãe não parava de dizer: «Que bem que se está aqui!». O meu pai agarrava-lhe uma mão e, com a outra, apertava a minha. À alvorada, enquanto regressávamos a pé para casa, fiquei para trás, a ver como a minha mãe cambaleava, com os calcanhares esquartejados e a sangrar.

Dissera: «A melhor noite da minha vida» e, quando voltou a dizê-lo, os calcanhares começaram a sangrar-lhe ainda mais.

Sinto náuseas e caio de costas na neve. Nadia mexe-se mais uns passos e tira o casaco. Para e tira os sapatos, as calças. Carla vira-se e os *flashes* das máquinas fotográficas viram-se com ela e as equipas agora só têm olhos para Nadia. Está a tirar a *sweatshirt*, a *t-shirt*. Rachele leva as mãos à boca. Odeio-a. Porque não me fez caso? Porque não impediu que se partissem os nossos corpos e as nossas mentes? Isto é tudo culpa deles. Imagino a mãe de Nadia a dizer: «O meu erro cometeu um erro».

Os brilhos dos faróis dos carros e das lanternas desenham agora linhas vermelhas e azuis sobre a pele de Nadia. Piscando, como a luz de um farol. Rachele está prestes a ir buscar Nadia, mas Carla sussurra-lhe alguma coisa e a nossa treinadora abre muito os olhos. Carla contou-lhe. Que palavras terá usado? Assassinato? Assassina?

As luzes da polícia fazem com que a cara de Rachele pareça ainda mais monstruosa.

Penso em Angelika com nódoas negras na cara, sem barriga. E sem ninguém que a proteja. Ontem. Nem nunca. Penso nela coberta com o meu casaco e sei que não ficaria contente por acabar a sua vida por baixo da bandeira de uma equipa rival. Tenho de dizer a alguém onde está. Tenho de a levar para um lugar quente. E tirar-lhe essa bandeira.

Tenho de dizer a alguém onde estamos todas e tirar-nos esta bandeira.

Nadia dá mais uns passos, cinco, talvez seis. Então, para, fica totalmente quieta e esticada, com o rabo arrebitado, esse nosso rabo tão característico, e a coluna brilhante por baixo das luzes. Parece uma criança.

— Tenho de falar com um polícia amável — diz.

Espero que a lua imensa lhe caia na cabeça, nos caia na cabeça, a faça desaparecer, nos faça desaparecer, agora e para sempre. Ámen.

— Lua, cai — digo, em voz alta. — Cai!

Mas não acontece nada.

Nadia tira uma das mangas cor-de-rosa do maiô, depois a outra e enrola tudo. Por trás, vemo-la nua e minúscula, sobre uma neve que já nem sequer parece estar fria. Ajoelha-se e torna-se ainda mais pequena, uma cabeça e alguns centímetros das costas mais pequenas do mundo, do corpo mais pequeno do mundo, enquanto tudo à sua volta fica inerte. Há silêncio por todo o lado. Todos paramos de respirar ao mesmo tempo e, vistos de cima, deve parecer que estamos a posar para uma fotografia, tanta gente e nenhum movimento, não se mexe nem um único pé. Ninguém deixa escapar a respiração.

Apenas clique. Um *flash*. Clique.

O meu telemóvel vibra. Então, começa a tocar com a melodia habitual, essa que faz com que me envergonhe. Agarro-o e vejo que é o meu pai. Deixo-o tocar na minha mão e o nome «Papá» pisca. Não sei o que fazer com o telemóvel e com a palavra *papá*. Quando finalmente para, volto a guardá-lo no bolso. Olho para Nadia, completamente nua na neve, com o maiô cor-de-rosa junto dela. Olho para Carla a chorar e para Rachele com essa mão na boca.

Tenho frio. E estou muito, muito cansada.

Viro-me e sigo para o hotel. Ando até à entrada, passo junto dos ursos com casaco, que já não se riem. Também não se mexem. É possível que todos estejam em pausa e eu seja a única capaz de carregar no *play*. Se gritar, ninguém se virará. Se chorar, ninguém virá consolar-me.

— Bateu-lhe com a vossa pá. Atou-a. Pôs-lhe ramos na boca. E talvez um lobo lhe tenha comido a barriga — digo aos ursos. — Mas ela também está ferida. E os lobos também nos comeram a barriga. Desde sempre.

Os ursos não olham para mim. É possível que nem sequer o tenha dito em voz alta; que a minha boca não se tenha aberto e que nem sequer continue aí, na minha cara. Não tenho forças para o verificar, portanto, não passo a mão pelos lábios nem tento resolvê-lo. Se já não tiver boca, não posso fazer nada a respeito disso nem há nada para resolver.

No *hall*, viro-me uma última vez e observo a cena enquanto a polícia avança para Nadia. Espero mesmo que encontre um polícia amável. Chamo o elevador, mas não espero que venha. Vou pelas escadas de serviço e subo a pé até ao nosso quarto; lá, olho para a cama de Nadia, para a sua mochila, para os seus maiôs. Sento-me no colchão e acendo a luz da mesa-de-cabeceira. No espelho, vejo uma cabeça de cabelo espetado e a cara de alguém que se parece muitíssimo comigo, mas certamente não sou eu. Apago o candeeiro.

— As pessoas são nojentas — disse Carla a Nadia ontem à noite.

Isso aconteceu apenas algumas horas antes de, como sei agora, Nadia abandonar o quarto, o hotel do tempo da guerra, e perseguir Angelika pela floresta enquanto ela corria.

— Têm sempre defeitos. Pontos negros. Cheiram mal. Ou são patéticas vistas de trás. Se olhares com atenção, os seus poros, por exemplo, ou o verniz esquartejado das unhas, todas têm algum defeito. Dessa forma, já ninguém te assusta.

— Se alguém for bom, mas tiver algum defeito, então, já não te ameaça?

— Só me faz sentir nojo.

— A Angelika não tem pontos negros — disse Nadia, então. — E não parece ter defeitos.

— A Angelika está amarela. E é um bicho-do-mato. Muito asquerosa. Além disso, espero que morra.

Rimo-nos as três, mesmo sabendo que Angelika não estava amarela. Embora nós mesmas nos sentíssemos com frequência uns bichos-do-mato e também tivéssemos pontos negros. Embora, como de costume, tivéssemos convocado a morte. Carla deitou-se em cima de Nadia e esta disse que gostava, porque deve ser agradável sentir o peso de alguém em cima de nós, as suas pernas contra as nossas, a sua pele contra a nossa pele. Deve ser maravilhoso deixar que alguém que amamos nos afrouxe as costas. Graças ao seu prazer, eu senti esse mesmo prazer e parte do seu amor.

— Diz-me quais são as tuas cinco coisas favoritas do universo — pediu-lhe Nadia.

— A ginástica. Tu. O mar. Ganhar. Não consigo pensar numa quinta. Diz-me as tuas.

— A ginástica. Tu. A mãe.

— A mãe? — exclamou Carla. — Disseste mesmo «mãe»?

Carla repetiu-o um milhão de vezes, «mãe?, mãe?», fazendo cada vez mais pressão sobre Nadia. E Nadia, presa por baixo dela, ria-se com tanta força que mal conseguia respirar. Eu ri-me com elas, tentando fazer-me ouvir, antes de fechar os olhos e pensar nas minhas cinco coisas favoritas do universo.

No meu caso, a primeira também foi a ginástica.

AGRADECIMENTOS

Nunca nenhum livro é obra de uma única pessoa. Este, em particular, é o resultado de muitas vozes reunidas ao longo de muitos anos. Também é o resultado de muitas ideias de pessoas diferentes, que olharam para a ginástica, para o dia-a-dia e a vida das nossas raparigas — para esta história — de um modo, com frequência, radicalmente oposto ao meu. *Corpo Libero* ou *The Girls Are Good* foi publicado pela primeira vez em 2010: começou o seu percurso como um filme para a realizadora Martina Amati. Nunca chegámos a fazer esse filme, mas a história também lhe pertence, assim como a visão: obrigada. Esta história também pertence a um treinador com quem trabalhei durante muito tempo e que, apesar do seu amor imenso por este desporto e pelo seu trabalho, não foi capaz de continuar a aceitar as coisas terríveis que presenciava. Confiou-me os seus segredos e pensamentos. Ofereceu-me a sua dor e a das raparigas para que me encarregasse disso, para sempre, ao mesmo tempo que me dava conselhos e permissão para revelar alguns dos horrores de que tinha sido testemunha. Este livro também foi escrito por todas as ginastas que conheci e todas aquelas que nunca conheci, mas que observei e amei, de perto e de longe, que caíram e voltaram a levantar-se ou, às vezes, não voltaram a levantar-se mais. As que me encandearam. As que me comoveram. E as que me partiram. Confio em que as suas vozes, o que ouvia daquelas vozes, estejam refletidas nestas páginas e que tenham alimentado e moldado as vozes de Martina e das outras raparigas. Obrigada. Esta história adotou agora uma nova dimensão e um novo significado para mim, graças a todos os ginastas, cujos nomes agora conhecemos, cujas caras agora conhecemos, que — muitos anos depois da primeira publicação deste livro, quando ainda se silenciava todo o horror — falaram publicamente e com determinação, quebrando um muro que parecia indestrutível. Eles deram lugar a uma revolução imensa e, por isso, estaremos sempre agradecidos. Obrigada, são heróis.

Este livro também existe graças àqueles que o leram, releram, escreveram e reescreveram comigo centenas de vezes durante anos: estar-vos-ei sempre agradecida.

Aos meus editores: Alberto Rollo, que esteve ao meu lado desde o começo; Linda Fava e Gillian Stern, que espero que continuem ao meu lado e são sempre as minhas primeiras e as minhas últimas leitoras. São os meus aliados e os meus professores: obrigada. À minha editora italiana, Mondadori, que pensou que voltar a esta história, anos mais tarde, era uma decisão adequada e, de facto, necessária. Obrigada a Phoebe Morgan, a minha brilhante editora da HarperCollins, que encheu esta nova fase com energia, poder e magia: tenho muita sorte por amares este livro. Elizabeth Sheinkman, a minha agente da Peter Fraser + Dunlop, que me apoia, me aconselha e se ri comigo: obrigada. Carmen Prestia, a minha agente na Alferj Prestia, que ouve todas as minhas ideias e tem sempre uma melhor: obrigada. Ellie Game, que desenhou a capa fabulosa: obrigada, adoro.

Esta história também existe graças aos guionistas que vão dar-lhe uma nova vida na adaptação televisiva: a minha fiel companheira de batalha Ludovica Rampoldi, a luminosa e sobrenatural Chiara Barzini, e a ginasta talentosa e escritora, Giordana Mari: melhoram a voz de tudo, sempre, e dão uma nova vida às raparigas, uma vida cheia de luz, magia e força. Estou maravilhada. Obrigada à força e vontade inesgotável das produtoras: Nicola Giuliano, Carlotta Calori, Francesca Cima e Viola Prestieri, juntamente com a equipa brilhante da Indigo Film, Marica Gungui e Federica Felice. Durante mais de dez anos, acreditaram nestas raparigas, nunca as abandonaram, como também não me abandonaram a mim: obrigada. Aos esplêndidos realizadores Cosima Spender e Valerio Bonelli, que não hesitaram nem um segundo em juntar-se a esta obsessão e transformá-la numa deles: obrigada.

A Leo e a Elia, meus amores, a vida convosco é um magnífico triplo *twist* com duplo mortal, uma loucura, mas é a minha favorita. Obrigada. Um corpo. Um coração.